KB056179

Yoga model Canha

Sun Salutaion

태양예배

작가소개

이 원 영

Andaleus

- 교수 화가 시인 Yoga Guru
- 세계초현상화가협회(W.T.A.A) 회장

태평양을 바라보면서 명상중인 저자

ASANAS

600 YOGA POSES

당신을 위한 아름다운 삶

Andaleus

책을 내면서...

관속처럼 변하는 속도의 시대, 성취의 대열에서 탈락하는 군상은 실의, 좌절, 불안, 초조로 불면에 시달리지 않으면 흡연 음주와 마약으로 현실을 도피하려한다. 자살률은 OECD 국가 중 최고를 기록했다. 대상은 이 나라를 어깨에 메고 가야 할 청장년 그리고 한국발전에 초석이었던 노년까지 전 세대를 총 망라하고 있다. 이 책을 세상에 내놓는 이유는 스트레스 홍수시대에 실의(失意) 좌절(挫折)로 고통 받는 수많은 이들에게 어떻게 하면 고통에서 벗어나는 가를 알려드리기 위함이 목적이다.

나는 희망을 잃어가는 그들을 몇 사람이라도 구하고 싶다.

삶은 고통이다. 어떻게 하면 고통을 벗어나고 죽음을 초월 할 수 있는가?

요가는 아사나를 통하여 육체의 고통을 통제하고 프라나야마를 통하여 정신적인 고통을 통제하며 명상을 통하여 죽음의 공포로부터 벗어나 초월의 경지에 들어가 영원한 평화를 얻는 것이다.

Hiroko Konisi 교수-이분은 일본계 미국인 여성으로 University Hawaii East West Culture Center에서 나와 만난 인연으로 이분의 추천으로 요가에 입문하게 된다. 한때 나 역시 번뇌와 고통의 족쇄로부터 탈출 하기위해 희마라야 고산 토굴 속, 그랜드캐넌 골자기, 세도나 벨락(Bell Rock)에서 명상을 하게 된다. 요가입문한지 15개월 만에 감각의식과 사고의식을 넘어 나와 우주가 하나가 되여 초월의식에 도달하게 된다. 동시에 번개처럼 다가온 우주의 심오한 지혜로 직관(直觀)이 열리면서 그날부터 그림을 그리기 시작 화가가 되었다.

이것은 인간의 언어나 문자로 표현이 불가한 신비(神秘)의 세계다.

이 행성을 떠나기 전 나의 그림행로를 기록으로 남기고 싶었고, 때문에 그림을 전수할 제자를 찾아 2년간 20개국이 넘는 국가를 여행하게 된다. 간절한 소망으로 인연을 만나게 되고 Angkor wat에서 Canha라는 여성을 만나게 된다.

깊고 청정한 눈동자에 지혜가 깃들어있었기 때문이다. 그리고 세계3대불가사리인 앙코르 와트(Angkor wat)를 건설한 위대한 크메르(khmer) 민족의 후손이란 것도 선택의 이유이다. 며칠을 그림공부를 시키다가 그녀가 선천적으로 타고난 장애로 2km을 걷지 못하고 길에 주저앉아 10분을 쉬어야 다시 걸을 수 있다. 그녀는 좌우 대칭이 불균형하다. 좌는 100%이고 우는 60%로 같이 구부릴 때 늘 우측다리와 좌측다리가 똑바로 모아지지를 않는다. 서서있으면 한쪽 어깨가 5cm 밑으로 기울어진다. 태어날 때부터 몸의 좌우대칭이 일그러지게 태어났다.

타고난 약체(弱體)인 그녀는 하루에 밥한 공기를 소화 할 수 없는 약한 위(胃)의 기능을 가추고 있어 소화제를 장복을 해야 하고, 감기는 일 년 내내 떠날 날이 없어 감기약을 상비해야한다. 기관지염, 비염, 이염, 아토피 피부질환은 그녀를 떠나지 않은 증세들이다. 숙명적인 육체의 Handicap을 타고난 것이다. 건강한 여성이 13, 14세면 첫 생리를 시작하는데 17세까지 생리를 하지 못해 영양제를 늘 주사해야 했고 생리를 시작하면 멈추지를 않아 병원에 입원을 해야만 했다. 부친이 의사인데도 딸의 병세를 완치 못하고 약으로 연명하는 타고난 약체 여성이다.

나는 요가로 만성적 질병을 치료하기로 작정하고 아사나(Asana)를 가르치기 시작했다.

석굴암에 있는 석불을 조각한 석공은 산에 널려있는 흔한 바위에 불과한 돌을 수백만 번의 징과 망치로 쪼고 다듬어서 만고의 걸작 석불을 탄생시킨 것이다.

나는 그 석공이 된 심정으로 나약한 그녀를 다이아몬드의 몸으로 만들기로 작정했다. 무쇠를 불에 달구고 두드리고 침수하기를 수천 번 하면 강철이 된다.

그녀는 새벽 4시부터 저녁 7시까지 아사나를 피눈물 나게 수련했다.

그것은 요가를 수련해서 건강한 몸이 되지 않으면 그림을 가르쳐주지 않겠다는 나의 선언이 있었기 때문이다. 그녀는 그림을 배울 목적으로 때로는 새벽 한 시까지 아사나(Asana)를 수련했다.

2년 후 그녀는 아사나 600가지를 할 수 있었고, 설악산 가파른 길을 2시간 쉬지 않고 오를 수 있는 강한 체력의 여성이 되었다. 몸의 좌우대칭이 100% : 60%였으나 지금은 100% : 95%까지 정상 가까이 이르게 되었다. 요가를 시작할 때 신장이 160cm 이었으나 성장 판 늘어나 164Cm로 성장했다. 그리고 미국에서 요가지도자 자격을 획득, 아사나 전문가가 되었다.

세상 어느 누구도 그녀가 요가 아사나(Yoga Asana) 대가가 되리라고는 생각지 못했다. 그녀는 인생 승리자다. 현대의학으로 해결하지 못한 선천적 장애를 요가로 그녀 스스로 해결했다.

불가능은 마음이 만들어낸 괴물이다.

그녀는 이 괴물을 물리치고 인생 최고의 승자가 되었다.

Contents

발간사_ 책을 내면서 8

건강의 8대 요소 11

① 생명의 빛 13
- 태양

② 요가 16
- 균형과 조화
- 치유의 예술
- 이사나
- 아사나의 리듬
- 요가와 해부학
- 균형
- 요가적 건강
- 생명선의 균형과 조화
- 자연치유력의 기능상실
- 자연치유력회복
- 항상성 유지기능
- 요가의 효능

③ 프라나야마 (Pranayama 호흡) 27
- 휴식을 위한 호흡
- Siva 호흡
- 탁월한 호흡

④ 요가의 절식(節食) 33
- 마타하라(Mitahara)식사
- 소식습관(小食習慣)
- 대지의 기운

Contents

⑤ 명상 36
- 마음의 평화
- 자아초월(自我超越)

⑥이완(弛緩) 40
- 스트레스의 명약 이완
- 신체적 휴식
- 정신적 휴식
- 영적인 휴식
- 이완 자세
- 어린이 자세
- 악어자세

⑦ 웃음요가 45
- 웃음의 종류
- 웃음 아사나

⑧ 긍정적 사고 48
- 의식의 전환
- 질병의 원인
- 의식의 도약

영웅자세 Hero Series) 53
선 자세 (Standing Poses) 64
머리서기 자세 (Inversions) 146
팔 균형 자세 (Arm Balancing Poses) 475
척추 비틀기 자세 (Twists & Seated Poses) 529
호흡과 정화연습 (Breathing & Cleansing Practices) 568
수면 자세 (Resting Poses) 572
초월요가 햇빛속에 아사나 (Trancendence Yoga Sunlight Asana) 575

에필로그_ Nirvana 희망의 언덕 614

건강의 8대 요소

현대인의 대부분은 많은 긴장과 스트레스를 받고 있으며 이것은 이미 자신의 통제력을 넘어 수많은 사람들이 수면제나 알콜 등의 안정제를 상습 복용하고 있다.

이 시대에 살면서 고통의 굴레에 희생되지 않으려면 요가 아사나를 통하여 육체적인 고통을 통제하고, 프라나야마를 통하여 정신적인 고통을 통제하며, 명상을 통하여 자신의 존재에 대한 진정한 이해와 영적성장을 이룰 수 있다. 이름과 형상(刑象)의 가상된 것을 뛰어넘어 우리는 자신의 몸과 마음을 초월하여 영원한 자아를 발견할 수가 있다.

Asana No. 001

요가는 몸으로 시작하여 몸을 초월하는 영혼의 해탈로 끝나는 것이다. 실제로 요가를 실천하는 자만이 요가의 유익함을 알게 된다.

Asana No. 002

요가는 육체적 · 정신적 스트레스와 긴장을 해소하며 호흡(프라나마야)을 실천함으로써 몸의 모든 주요 부위에 생기를 불어 넣는다. 그리고 긍정적인 사고와 명상은 정신

Asana No. 003

력과 집중력을 향상시키며 맑은 정신 상태를 유지시킨다.

마음과 생각을 자유자재로 움직일 수 있다면 세상에 불가능이란 없다. 그러한 자아실현을 방해하는 것은 우리 자신의 잘못된 환상과 선입견 때문이다.

요가는 삶의 활력과 행복감, 평화를 가져다주는 품격 있고 오래 된 체계이다.

요가를 총정리하자면 방대한 지면이 필요하다. 그리하여 이 시대를 건강하게 살려면 아래 8가지 요소가 육체의 건강, 마음의 평화, 영적성장에 꼭 필요한 요소라 생각되어 독자들에게 간략하게 소개하게 되었고, 내 자의 실천요소이기도 하다.

생명의 빛

요가

프라나마야 (Pranayama호흡)

요가적 절식(節食)

명상

이완(弛緩) (휴식)

웃음요가

긍정적 사고

생명의 빛

태양

태양은 지구상에 모든 생명체가 살아갈 수 있는 가장 근원적이면서 필수적인 에너지원이다. 태양의 햇빛은 땅과 바다를 데우고 대기의 온도차가 생기게 해 바람을 만들고, 물을 순환시키는 물리적인 일을 할뿐 아니라 생명에너지가 되어 모든 생명체를 존재하고 성장하게 만든다. 태양에너지는 공기처럼 아무 대가를 지불하지 않아도 쉽게 취할 수 있기 때문에 우리는 그 가치를 잘 느끼지 못하지만 태양 없는 인간과 지구는 상상할 수 없다.

만약 지구에 태양이 없으면 어떻게 될까? 당연히 생명이 살 수 없는 행성이 될 것이다. 햇빛은 모든 생명의 근원이며 우리가 생명을 유지하기 위해서는 햇빛이 필수요소다. 과학이 밝혀낸 햇빛의 기능을 보면 비타민D 합성, 행복호르몬이라 불리는 세로토닌 분비 촉진, 살균작용 등이 있다.

비타민D는 뼈의 건강에 필수적인 칼슘의 흡수를 도와주며 암 예방과 치유에도 도움을 준다. 햇빛과 필수아미노산인 트립토판(콩에 많이 함유)이 합성돼 만들어지는 세로토닌은 우울증 치료제라고 하는데 그만큼 기분이 좋아진다는 뜻이다. 기분이 좋아지면 면역력이 증강돼 질병의 예방에 도움이 될 뿐만 아니라 질병인 상태에서도 자연치유력이 증강돼 회복되는 데 많은 도움을 주게 된다.

태양광선중에 적외선은 열기를 발산해 우리 몸을 따뜻하게 해주고, 가시광선은 사물을 눈으로 볼 수 있게 하며, 식물의 광합성작용으로 영양분을 만들도록 돕는다. 그리고 자외선은 인간의 피부에서 비타민D를 생성하고 살균작용을 돕는다.

Asana No. 004

Asana No. 005

또한 비타민D는 우리 몸의 자연치유력을 높이는데 긍정적인 작용을 한다. 비타민 D는 칼슘의 흡수율을 높여주어 뼈를 튼튼하게 하고 골다공증 예방뿐만 아니라 당뇨, 치주염, 다발성 경화증, 암에도 효과적이라고 알려져 있다. 특히 유방암, 대장암, 전립선암에도 효과적인데, 비타민D 결핍증인 남자의 경우 전립선암 발병률이 50%가 높다고 한다. 실제로 도시에 사는 사람보다 농촌에 사는 사람들이 두 배로 많은 비타민D가 발견된다.

Asana No. 006

또한 햇볕을 쬐면 밤에 수면을 유도하는 호르몬인 멜라토닌 분비가 촉진 되어 숙면에 도움이 된다. 행복호르몬 이라고 알려진 세로토닌도 햇빛을 쬐일 때 많이 분비된다. 세로토닌이 분비되면 마음이 안정되면서 행복한 기분이 드는 반면에 세로토닌이 부족하면 마음이 불안초조해지고 우울증으로 이어지게 된다.

겨울철의 계절적 우울증은 일조량이 줄어들어 멜라토닌과 세로토닌의 분비저하가 주된 원인으로 꼽히고 있다. 그래서 계절적 우울증을 극복하는 가장 좋은 방법은 매일 일정시간 햇볕을 쬐면서 멜라토닌과 세로토닌의 분비를 촉진시키는 것이다.

세로토닌은 식욕과 관련이 있는데 세로토닌 양이 증가하면 식욕을 조절할 수 있게 되어 음식 섭취량이 줄어들고, 반대로 세로토닌이 양이 감소하면 식용이 자극되어 과식을 하게 된다.

햇빛은 우리의 체온을 높여주는 필수적인 요소이다. 태양빛이 사라진 밤 동안 체온이 최저 상태로 떨어졌다가 낮 동안 활동을 하면 체온이 오르는데, 특히 야외에서 햇빛을 받으며 활동할수록 체온이 높아진다.

식물들이 태양에너지를 받아 광합성을 하듯이 매일 햇빛을 받아 비타민D를 합성하고 체온을 높여 온몸의 기혈순환(氣穴循環)을 촉진하면 몸속의 차갑고 습한 냉기가 빠져나갈 뿐만 아니라 따스하고 눈부신 햇살 속에 둘러싸여 있다 보면 머릿속에 맴돌던 잡념이나 걱정이 없어지면서 마음이 그렇게 평화로워질 수가 없다. 따스한 햇볕에 몸과 마음이 금방 이완되어 졸음이 몰려올 만큼 뇌파가 쉽게 안정된다.

빨래나 이불을 햇볕에 말리면 병균을 없앨 수 있다. 이는 자외선의 살균작용 때문이다. 비타민D 섭취로는 그 양이 적기 때문에 하루 2번, 1회 20분 정도로 식사 2시간 후 햇볕을 쬐는 것이 좋겠다. 도시에서의 직장인들은 햇볕을 쬐기가 쉽지 않다. 특히 여성들은 기미, 주근깨, 피부노화 등을 이유로 햇빛을 기피하는 현상까지 있다.

Asana No. 007

이럴 경우 우울증 등의 증상이 발생할 수 있으며 무엇보다 자연치유력이 약해져 질병에 걸렸을 때 잘 낫지 않게 된다. 적절한 햇빛의 활용은 건강에 있어서 아주 중요한 요소임을 명심해야한다.

Asana No. 008

Asana No. 009

요가 (Yoga)

균형과 조화

Asana No. 010

우주의 모든 존재는 진동이란 리듬으로 스스로 음악을 연주한다. 모래 한 알, 풀 한포기, 개미 한 마리, 태양과 무수한 별들은 그 리듬이 균형과 조화를 이룰 때 생명이 연속되나 리듬이 깨지면 사멸한다.

아사나는 요가의 자세, 또는 체위로 육체적, 생리적, 심리적, 영적 리듬이 균형과 조화로운 상태를 만드는 예술이자 과학이다.

아사나는 우리 몸의 뼈마디 하나하나와 근육 하나하나를 자극하는 동작들로, 특히 평소에 잘 쓰지 않는 관절이나 근육들을 효과적으로 자극하는 장점이 있다.

치유의 예술

Asana No. 011

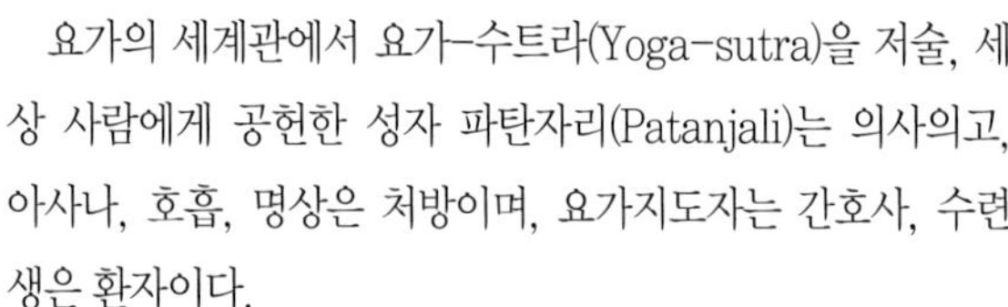

요가의 세계관에서 요가-수트라(Yoga-sutra)을 저술, 세상 사람에게 공헌한 성자 파탄자리(Patanjali)는 의사의고, 아사나, 호흡, 명상은 처방이며, 요가지도자는 간호사, 수련생은 환자이다.

인간의 몸은 세상에서 가장 정교한 생채 기계로 근육, 관절, 신경, 정맥, 동맥, 혈관이 그물망처럼 연결되어 있다.

육체의 질병은 대개 다음 세 가지 요인으로 기인한다.

a, 태어나면서부터 지닌 선천성 질병과 장애.

b, 주요기능들을 장기적으로 사용하지 않거나, 갑작스러운

뇌의 충격, 감정의 지나친 동요로 인한 긴장과 스트레스, 몸을 무리하게 사용함으로서 신체가 균형을 잃은 경우. 공해, 흡연, 과음, 포식, 부정적 사고, 마약, 도박 등 무절제한 생활에서 오는 증상.

c, 자연의 생명요소인 에테르, 공기, 불, 물, 흙 다섯 가지 요소 중 어떤 것의 불균형으로 야기된 질병 등이다.

약물처방은 치유과정에 꼭 필요하지만 완전한 치료는 아니다. 궁극적인 치유는 오직 인간의 육체가 가지고 있는 자연치유력에 의해서만 가능하다.

우리 몸의 각각의 수많은 세포는 상처의 피를 멈추게 하고, 기후변화에도 체온을 정상으로 유지하며, 열을 내리게 하고, 독소를 제거하며, 뼈를 바로 잡아 주는 것은 인체가 생체질서를 본래대로 유지하려는 생명의 항상성 기능을 가지고 있기 때문이다. 이것이 자연치유력이다. 의사와 약은 자기치유력을 돕는 역할에 불과하다.

부드럽고 느린 요가 동작은 환자나 노약자, 신체장애자, 임산부, 어린이도 가능하며 몸의 회복력이 떨어지고 병에 대한 저항력이 약화되는 노약자에게 주어진 선물이다. 요가는 다른 운동과 달리 병에 감염된 부위에 면역세포를 집중시켜 면역력을 개선하고 예방하는 치유의 예술이며 인체가 본래 가지고 있는 생명의 항상성기능을 더 효율적으로 발휘할 수 있도록 돕는 과학이다.

아사나

아사나의 수련을 통해 요가인은 민첩성, 조화와 균형, 인내력, 그리고 엄청난 활력을 키울 수 있다.

아사나는 근육을 탄력적이고 강한 체격을 만들어주며 몸의 질병을 막아주고, 피로를 해소하고 신경을 완화해준다.

건강은 돈으로 살 수 있는 상품이 아니다. 이것은 순전히 고된 노력으로 얻어지는 몸, 마음, 정신의 완벽한 균형 상태이다. 신체적,

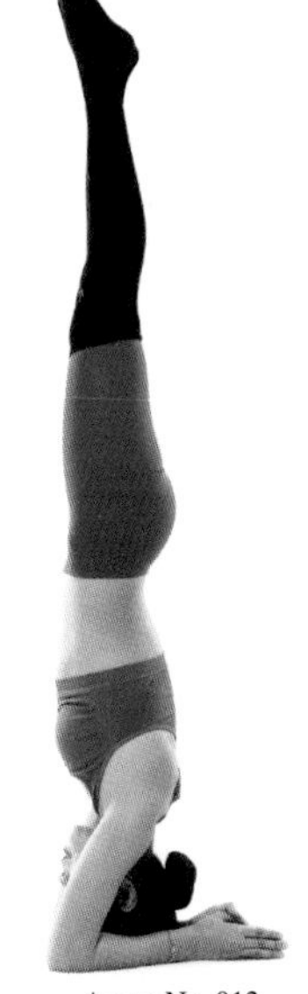

Asana No. 012

Asana No. 013

정신적 의식의 조화가 바로 건강이다. 요가인은 신체적 장애와 정신적 혼란을 아사나의 수련을 통해 이겨낸다.

몸과 마음은 서로 연결되고 있으면서 서로가 서로에게 모두 침투하는 신성한 의식의 다른 면들이기 때문에 서로 분리할 수 없다.

자아는 힘이 없는 사람이 얻을 수 없고, 목적이 없이도 얻을 수 없다. 몸을 강하게 단련하고 정화하기 위해 요가 수련의 불에 몸을 강하게 달구어라.

득과 실, 승리와 패배, 명성과 오욕, 몸과 마음, 마음과 정신과 같은 이원성은 아사나의 숙련을 통해 사라진다.

아사나를 규칙적으로 수련하면 육체의 모든 내장기관, 섬유조직, 세포들이 자극을 받아 정화되고 활성화 되어 마음은 기민하고 강해지며 몸은 최상의 활동적인 건강 상태가 된다.

요가의 다양한 아사나 들은 뇌로부터 나오고 들어가는 화학적 메시지에 영향을 미쳐 마음을 안정시킬 수 있다. 생리학적 심리학적 몸 사이에 매개체인 신경을 진정시키는 아사나의 독특한 능력은 뇌가 안정되고 마음은 평화로우며 몸은 긴장으로부터 이완된다.

Asana No. 014

아사나의 리듬

인간의 몸은 흙으로 빚은 질그릇처럼 부서지기 쉽다. 이러한 연약한 육체를 금강석처럼 만드는 것이 주된 목적이다. 아사나는 불에 달구는 것이고 이완은 식히는 것 것이다.

대장장이가 달굼 쇠를 두드려서 물에 식혀서 다시 달구질하고 다시 식히기를 반복하면 무쇠가 강철이 된다.

무쇠와 같은 우리의 몸을 강철로 만드는 과정이 아사나라고 이해하면 된다.

아사나로 몸을 뜨겁게 달구고 이완으로 몸을 서늘하게 식힘을 반복함으로서 면역력은 한층 증가되어 질병을 예방하고 치유한다.

아사나는 고요하고, 느리게 자세 들어가서, 한자세마다 3분 이상을 유지한다. 유지하는 동안 눈을 감고, 의식을 호흡에 집중하며, 명상상태로 유지한다. 자세를 푼 다음 이완 후 다음 자세에 들어간다. 그리고 자세 들어가기(우주의 창조),집중상태(유지), 자세풀기(파괴), 이완(휴식)의 순환 원리와 같이 네 리듬을 유지해야 한다. 아사나 수련이 진행되면 자세에 들어가서 머물 때 입안에 단침(감로-甘露)이 고인다. 단침은 젊음으로 돌아간다는 징후이며 장수의 넥타이다.

아사나 수련은 수직운동, 수평운동, 회전운동, 거꾸로 서기 운동 등은 몸이 필요로 하는 부분에 적시에 신선한 혈액을 공급함으로서 신체의 모든 부위가 순조롭게 그 기능을 다하도록 돕는다.

다른 여러 가지 운동은 부분적 효과가 있으나 아사나는 근육, 인대, 관절, 신경기능을 조절할 뿐만 아니라 몸의 모든 부분이 건강을 유지하도록 원활한 기능을 돕는다. 아사나의 완벽한 성취는 이사나를 행한다는 의식적 노력이 아닌 무아의 경지에 이르면 신비(神秘)의 소리, 우주의 진동음인 나다누산다나(Nadanusandhana)를 듣게 되고, 자아내부의 무한한 존재와 교감이 될 때 비로소 완성된다.

요가와 해부학

우리 몸은 206개의 골격, 650개의 근육, 274종 60조개의 세포와 약 8억 개의 폐포(肺胞)로 이루어져 있고, 각각의 세포는 1,400억 개의 신경세포로 연결 되어 있다.

Asana No. 015

Asana No. 016

해부학적으로 몸은 뼈, 근육, 피부섬유조직으로 구성되고, 생리적 기능을 하는 폐, 간, 비장, 취장, 대장,소장, 기타기관과 심리학기능인 신경, 뇌, 의식으로 이루어져있다.

우리 몸의 근육은 좌우 앞뒤로 대칭을 이룬다, 각 근육은 땅기는 지점에 삽임 물이 생기고, 머무는 지점에 시작점이 생긴다. 모든 근육은 쌍으로 활동한다. 팔을 구부릴 때 굽히는 근육은 당겨지고 늘어나는 근육은 느슨해진다.

요가 아사나는 다른 운동과 달리 갑작스러운 수축이 없이도 근육과 인대를 늘리고 부드럽게 이완시킨다.

균형

요가는 몸을 늘 활력 있게 유지하여 젊음을 극대화하는데 있다.

우리 몸의 각각의 세포는 늘 건강을 유지하고 회복하려는 생물학적 목적을 가지고 있다.

상처부위에 피를 멎게 하고, 뼈를 바로 잡아주며, 열을 내리게 하고, 독소를 제거하고, 피로를 풀어준다. 우리의 몸은 근육, 뼈, 인대이며, 모든 세포와 조직에 영양을 공급하는 호흡기, 순환기, 소화기이다. 그리고 육체적, 감정적, 정신적 조화와 균형을 유지시키며 통제하는 신경망과 호르몬의 구조이다.

요가는 체력을 소모해서 근육을 발달시키는 것이 아니라 몸을 구부리고, 뻗고, 늘리고, 비틀고 해서 모든 순환기와 세포를 자극하여 몸을 최상의 정상적인 상태로 만드는 것이다. 요가 이외의 다른 운동은 시간이 갈수록 체력이 소모되어 피로하나 아사나는 오히려 체력이 소모되지 않고 생기가 증가된다.

이때 피하조직은 강화되고, 독소와 몸에 쌓인 찌꺼기는 제거되면서 중추기관은 활력을 갖게 되고 신진대사는 원활하게 된다.

요가적 건강

Asana No. 017

요가는 몸의 건강, 마음의 평화, 영혼의 성장을 돕는 과학이다.

요가적 건강이란 육체의 질병이 없는 상태가 아니라 마음, 육체, 의식, 영혼이 완벽한 조화와 균형을 이룸을 뜻한다.

요가는 몸이 건강하지 못한 상태에서 오는 둔하고, 타성적이고, 나태하고, 우유부단하며, 소극적이며, 빈약한 판단력 그리고 부정적인 감정들을 적극적이고, 희망찬 자신감, 기쁨, 용기, 배려 등의 긍정적 감정으로 바꾸어 놓는다. 뿐만 아니라 몸은 날씬해지고, 표정은 여유롭고 태연하며, 피로를 느끼지 않는다. 아사나는 중추기관의 활력을 갖게 하고 신진대사는 원활하게 된다.

요가 아사나는 몸의 완전한 균형상태가 건강으로 이어져 마음의 평화를 가져 오고, 지성은 명료해지고 지혜는 잠재의식에서 깨어나 무한대의 우주로 빛을 발산한다.

요가는 스트레스 홍수로 범람하는 현대인류에게 값으로 환산할 수 없을 정도로 귀중한 건강 지킴이라 생각된다.

생명선의 균형과 조화

Asana No. 018

요가 아사나의 가장 중요한 특장은 신경계통척추와 신경절을 정화하고 강화시키는 것이다. 섬세하게 연결된 푸라나 통로를 통해 신경 흐름을 원활하게 하여 몸의 균형을 잡아준다. 그리고 몸의 수동적 기능과 능동적인 기능을 통제하는 교감신경과 부교감신경의 기능을 조절한다. 교감신경은 어떤 비상사태와 같은 급한 요구에 의하여 몸이 움직인다. 교감신경의 신호는 침 분비, 위액분비, 맥박, 호흡같이 부교감신경에 의하여 통제되는 기능들을 억제하는 작용도 하며, 특히 이러한 반응에 대항

할 것인지 피할 것인지를 결정하게 된다. 모든 아사나는 모든 내분비선에 자극을 준다.

신경선과 내분비선이 건강하면 몸과 마음은 긍정적인 반응으로 제 기능을 재빨리 회복된다. 그러나 내분비선의 조화와 균형이 깨지면 쉴 새없이 응급 메시지를 보내어 피로, 고혈압, 두통, 스트레스는 신경계 질환을 초래한다. 우리의 몸은 마음의 완전한 도구이며 혈액속의 호르몬 순환과 신경망에 의하여 명령되고 자극된다.

대부분의 질병은 뇌의 동요와 몸의 불안정한 행동으로 생겨난다. 아사나는 뇌는 고요해지고, 감각은 잠재워지며, 지각작용이 변화되어 집착을 내려놓아 뇌와 몸의 에너지는 균형을 이룬다. 이러한 기운을 북돋우는 수련을 하고 난 뒤에는 원기가 회복되어 신선한 에너지가 온몸에 넘쳐흐른다.

건강이란 질병이 없는 상태가 아니라 근육, 세포, 신경, 내분비선과 몸의 모든 부분이 균형과 조화를 이루고 있어야 요가적 건강이라 한다.

자연치유력의 기능상실

무엇이 우리 몸의 자연치유력을 약화시키는가?

여러 가지 요인이 있지만 가장 큰 원인은 만성적인 스트레스이다. 우리 몸의 스트레스반응은 자율신경에 의해서 조절된다. 뇌간에서부터 척수를 통해 몸의 중요 장기와 연결된 자율신경은 수면, 심장박동, 호흡, 소화, 체온 등 모든 생명유지에 필요한 기능이 자율신경에 의하여 유지되고 관리되어 항상성 유지기능을 돕는다.

모든 생명의 생존본능은 가장 중요한 일차적 목적은 생존에 살아남는 것으로 우리몸속에 내장된 가장 오래된 프로그램이다.

우리 몸의 자율신경은 두 가지 위험에 효과적으로 대응하기위하여 성격이 상반되는 두 가지 시스템을 가지고 있다. 한쪽은 교감신경이

Asana No. 019

고 다른 한쪽은 부교감신경이다. 예기치 않은 응급대응을 담당하는 교감신경은 사고로 생명활동이 정지되지 않도록 도와주고, 휴식과 충전, 그리고 치유를 담당하는 부교감신경은 우리가 병에 노출되어 죽지 않도록 도와주고 있다. 교감신경은 위기상항에 부딪쳤을 때 도망가거나 대적하는 형태로 대응하며 부교감신경은 몸을 이완하고, 소화를 통해서 에너지를 보충하며, 독소를 배출하고 손상된 부분을 보수하는 역할을 담당한다. 이 두가지 균형과 조화에 의해 우리 몸의 생명활동을 안전하게 장기적으로 유지할 수 있다.

Asana No. 020

의료기술이 나날이 발달함에도 불구하고 더 많은 사람이 질병에 시달리고 만성질환이 늘어나는 이유는 자율신경시스템이 약화 되어서가 아니라 완벽하게 작동하기 때문이다. 정보화시대에 지속되는 스트레스를 안고 살아야만 하는 우리들의 현재의 생활방식이 교감신경과 부교감신경이 조화와 균형을 이룰 수 없도록 만들기 때문이다.

Asana No. 021

위기상황이 닥치면 교감신경이 흥분하여 싸움이나 도망가기에 유리하도록 소화등 내장기관의 혈액이 빠져나와 팔과 다리의 근육에 집중한다. 생각하고 분석, 종합 판단하는 대뇌피질의 활동이 정지된다. 간에서 당이 분비되어 혈액이 고혈당 상태가 되며, 피가 쉽게 굳도록 끈적끈적해진다. 또한 빠른 혈액공급을 위해 심장박동이 빨라지고 혈압이 올라간다. 일시적으로 몸은 고혈압, 당뇨, 심장병, 동맥경화, 지각장애, 소화불량상태가 만들어진다. 위기대응을 위한 폭발적적인 행동을 하기위한 엄청난 잠재적 에너지가 몸속에서 만들어짐을 의미한다. 이 잠재적 에너지가 행동을 통해서 방출 되지 않으면 그 파괴력이 내부로 향하여 세포와 조직과 장기를 손상시킨다.

짧은 시간동안 일시적으로 교감신경이 흥분상태에 있는 것은 큰 문제가 되지 않으나 이것이 오랜 시간 계속되면 우리 몸은 충전하고, 독소를 제거하며, 손상된 부분을 복구할 시

Asana No. 022

간의 여유를 가질 수 없게 된다. 동시에 스트레스 반응을 통해 생성된 폭발적적인 에너지가 내부로 향하면서 우리 몸의 세포와 조직과 장기가 손상되다. 동시에 스트레스반응이 요구하는 에너지를 공급할 수 없기 때문에 결국 에너지는 고갈되고 신경, 장기근육이 피로해져 혈액순환이 저하되고 자율신경에 문제를 일으켜 면역력이 떨어지고 내분비기능이 교란되어 건강의 핵심인 균형의 깨지고 몸이 자동조절능력을 상실하게 된다.

고로 우리가 몸의 자연치유력이 본래의 힘을 발휘하도록 도와주는 가장 중요한 요소는 교감신경 우위상태인 응급대응 모드를 끄고, 부교감신경 우위의 휴식과 충전과 치유의 모드를 켜는 것이다.

자연치유력회복

우리 몸에서 저절로 치유가 가능하도록 하는 힘은 지구가 태양과의 일정한 거리를 태양주위를 돌게 하는 힘, 갓 태어남 아기 캥거루 손가락마디보다 작은 몸으로 눈을 감고 어미의 배를 타고 올라가 아기자루로 들어가 어미의 젖을 빠는 기적 같은 힘의 원천과도 동일하다.

자연치유력의 회복은 육체적으로 더 건강해지는 것만 아니라 자연의 순수한 본질을 회복하는 것을 의미한다. 생각하고 의도하지 않아도 우리 스스로가 방해하지 않으면 대자연과 조화와 균형을 유지하면서 이상적인 삶에 도달할 수 있다.

생성 유지 소멸을 끝없이 반복하는 변화의 불확실성 속에서 웅대하게 존재하는 영원한 자신의 본질을 발견하며, 자연치유력은 회복은 참다운 인간의 본성을 회복하는 길이기도 하다.

항상성 유지기능

Asana No. 023

인간의 정상적인 체온은 건강한 사람의 경우 36.5℃를 유지하는데 밤에는 낮보다 활동량이 줄어들기 때문에 약간 낮아진다. 추운 겨울날 체온이 정상 이하로 떨어지게 되면 체내에서는 체열을 외부로부터 빼앗기지 않기 위해 땀구멍을 닫고 몸을 움츠리게 하여 체온을 보호한다. 반대로 체온이 정상 이상으로 상승하면 땀구멍을 열어 땀을 흘림으로써 체온을 정상수준으로 조절한다. 이렇게 우리 생물체 내에서는 변화가 없는 고정된 상태가 아니라 외부환경이나 내부 환경의 변화에 대응하여 체온뿐만 아니라 산소 및 이산화탄소의 농도, 혈당량, 혈류량에 의한 혈압조절, 산과 알칼리의 균형 등이 자동조절시스템인 피드백 작용에 의해 항상성이 유지되므로 생명과 건강을 유지할 수 있는 것이다.

우리 몸 각 기관의 작용은 여력을 가지고 있으면서 거의 일정한 상태로 지속하고 있다. 따라서 여력의 범위 내에서 필요에 따라 강하게 또는 약하게 작용할 수가 있는 것이다. 이러한 조절은 주로 자율신경계와 호르몬에 의해서 무의식중에 자동적으로, 또는 온몸이 통일된 상태에서 이루어진다. 이 때문에 몸의 조화와 건강이 유지될 수 있다. 심장 · 허파 · 소화관 · 혈관 · 샘 등은 의지와 관계없이 외계로부터의 자극과 체내의 상황에 따라 교묘하게 작용을 바꾼다. 이들 기관은 신경(특히 자율신경)과 호르몬에 의해서 지배 · 조절된다. 신경의 작용은 재빠른 동시에 짧지만, 호르몬의 작용은 느리나 오래 계속된다. 그러나 실제로는 신경과 호르몬이 동시에 어떤 기관에 작용하는 경우와 협력해서 작용하는 경우가 있다. 또한 호르몬 비슷한 물질을 신경 말단에서 분비하여 여러 가지 기관을 지배하기도 한다.

Asana No. 024

스트레스를 완화해서 자연치유력을 회복하는 방법으로

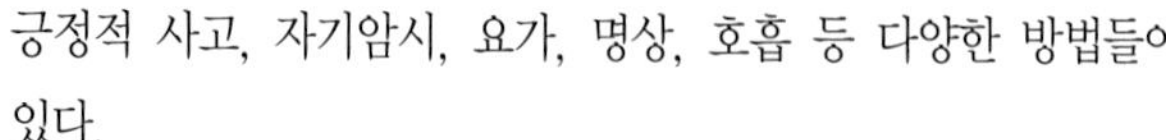

긍정적 사고, 자기암시, 요가, 명상, 호흡 등 다양한 방법들이 있다.

Asana No. 025

깊고 긴 호흡이 우리 몸의 생리적 상태와 자율신경의 균형을 회복하고 스트레스반응을 의도적으로 조절할 수 있는 도구로 사용할 수 있다. 또한 생각을 끊고 마음의 작용을 멈추어 고요하고 평화로운 마음의 상태를 지속함으로서 우리 몸의 자연치유력을 구성하는 모든 요소들을 자연스러운 균형상태를 회복시키는 힘을 발휘하도로 돕는다.

요가의 효능

누구나 아사나, 호흡, 이완, 명상, 고른 영양으로 대부분의 질병으로부터 해방된다.

아래는 요가로 치유가능하거나, 현저히 개선되는 증상들이다.

뇌하수체 송과 선 기능 증진, 갑상선 부갑상선 기능개선, 헤모글로빈 함량증가, 페활량 증대, 근육의 탄력성, 체지방 감소, 목, 어깨, 척추, 고관절, 손목, 발목 관절의 유연성, 간장, 비장, 신장, 췌장, 대장, 소장, 방광, 배설 기능 강화, 스트레스, 고혈압, 협심증, 심계항진, 동맥경화, 만성피로, 축농증, 인후통, 두통, 좌골신경통, 하지정맥류, 기관지염, 천식, 입 냄새, 구토, 위산과다, 소화불량, 설사, 십이지장궤양, 척추디스크 교정, 어깨관절염, 류머티즘 관절염, 여드름, 신경쇠약, 불면증, 불안, 우울증, 골다공증, 치질 탈장예방, 생리 불순, 생리통, 난소 낭종, 요실금, 갱년기 열감, 배란 기능장애, 호르몬불균형, 발기부전, 전립선 질환, 면역력 강화 등이다.

Asana No. 026

프라나야마 Pranayama - 호흡

요가인은 아사나, 호흡, 명상을 통해 대부분의 질병에서 해방된다.

요가의 깊고 긴 호흡은 8억 개의 폐포(肺胞)의 활동을 극대화 하여 청혈작용으로 인체 조직 내의 세포를 활기차게 기동(機動)할 수 있도록 돕는다. 요가에서 호흡을 가장 중시하는 것도 이런 이유이다. 심호흡의 중요성만 이해하고 실천해도 놀랄 만큼 건강을 개선할 수 있다. 프라나(Prana)는 숨, 호흡, 생명, 활력, 바람, 에너지를 뜻하며 프라나는 또 생명에 필수적인 호흡을 의미한다. 야마(yama)는 길이, 확장, 스트레칭으로 프라나야마(pranayama)는 호흡의 확대와 그 통제이다. 그럼으로 들숨, 날숨, 숨의 유지, 휴식이라는 네 리듬이 호흡의 전 과정이다.

호흡의 전 과정은 우주의 생성, 유지, 소멸, 휴식이라는 네 리듬으로 진행 된다. 프라나야마는 따라서 숨의 과학이며 생명의 수레바퀴가 돌고 도는 중추 역할을 한다.

요가인은 느리고 깊은 숨쉬기로 리드미컬한 패턴을 적절하게 따라야 한다. 이러한 리드미컬한 패턴은 호흡기를 개선하고 신경계를 완화하며 갈망을 누그러뜨린다. 욕망과 갈망이 줄어들면 마음은 자유로워지고 집중할 수 있는 좋은 도구가 된다.

느리고 깊고 지속적이며 적절한 숨의 들이쉬기와 내쉬기를 꾸준히 수련해야한다. 프라나야마의 수련을 통해 욕망의 재가 흩어지면 그곳에 가장 찬란한 빛으로 반짝인다.

'마음속에서 온갖 환영을 비우는 것은 진정한 숨의 발산이다' "나는 아트마(정신)"임을 자각하는 것은 진정한 푸라카(숨의 흡입)이다. 그리고 이러한 확신 속에서 한결같이 마음 상태를 유지하는 것은 진정한 쿰바카(숨의 유지)이다. 이는 진정한 프라나야마' 라고 말한다.

무릇 모든 살아있는 생명체는 각자 내면으로 향하는 숨을 통해 '불멸의 영혼' 으로 숨을 쉰다. 그리고 밖으로 내쉬는 숨을 통해 모든 생명체는 내가 곧 신임을 기도한다. 요가인은 자기 존재의 모든 호흡을 신께 희생 제물로 바치며 그 축복의 대가로 신에게서 생명의 숨을 되돌려 받는다.

내 몸 안에서 프라나는 전 우주에 삼투하는 영원한 영적인 원리의 우주적 호흡의 일부이다. 프라나야마의 수련을 통해 개인적인 Prana와 우주적 호흡인 부라만의 Prana와 조화를 이루어야한다.

'고요한 영혼 상태를 찾고자 한다면 우선 호흡부터 가다듬어라. 왜냐하면 호흡을 다스릴 수 있을 때 마음도 평안을 얻을 것이기 때문이다. 그러나 호흡이 가다듬어지지 않으면 문제가 생긴다. 그러므로 어떤 것을 시도하기 전에 먼저 호흡부터 조절하라. 이를 통해 화가 누그러지고 마음이 진정될 것이다.'

마음은 강력한 말의 군단에 연결되어 있는 전차와 같다. 그 말들 중 하나가 호흡이고, 다른 하나가 욕망이다. 마차는 더 힘이 센 말 쪽으로 움직인다. 호흡이 승리하면 욕망은 억제되고 감각은 제지되며 마음은 고요해져 평정을 찾는다.

욕망이 승리하면 호흡은 어지러워지고 마음은 동요하며 혼란에 빠진다. 그러므로 요가인은 호흡의 과학을 마스터하여 호흡의 조절과 통제를 통해 마음을 억제하고 끊임없이 거듭되는 행동을 진정시킨다. 프라나야마의 수련에서 눈은 항시 감고 마음이 이리 저리 방황하는 것을 막는다. '프라나와 마음이 하나로 융합될 때 말로 표현할 수 없는 기쁨이 뒤따른다.

정서적인 흥분이 호흡의 수에 영향을 미친다. 이와 동일하게 호흡의 의도적인 조절은 정서적 흥분을 조율한다. 요가의 목적은 바로 마음을 통제하고 평정을 찾는 것이므로 요가인은 우선 호흡을 자유자재로 통달하는 프라나야마를 수련해야한다. 그 때 비로소 집중(드야나)할 수 있는 마음이 준비가 된다. 마음은 이중적이라고 흔히들 말한다. 순수하기도 하고 동시에 불순하기도 하다. 욕망에서 완전히 자유로운 상태일 때 마음은 순수하며 욕망과 하나로 결합되어 있을 때 마음은 불순하다.

마음을 부동의 상태로 만들고 나태와 산만에서 마음이 해방될 때 인간은 초월상태(아마나스카)에 도달한다. 이는 사마디의 최고 상태이다. 이러한 분별이 없는 상태는 생각과 욕망으로부터 자유로워진 마음의 상태이다. 후자는 모든 근심을 내려놓으려고 시도하는 자이다. 그것은 호흡과 마음과 감각이 혼연일체를 이뤄 하나가 되는 것이며, 요가의 최종 정상은 생각을 끊고 마음의 작용을 사라지게 하는 것이다.

휴식을 위한 호흡

요가의 호흡 기법은 정신이 육체를 제어하는 힘을 돕는 도구로 호흡(숨쉬기)을 활용한다. 하루에 수차례 몸에 대한 정신의 통제력을 점검하라. 이 부분에서 긴장을 확인한다면 의식적으로 긴장을 풀도록 노력하라. 호흡을 통해 신체에서 긴장을 내보내도록 자기 최면을 건다. 예컨대 숨을 들이쉴 때마다 공기에서 푸라나를 빨아들이고 있다고 상상한다. 이 푸라나를 의식적으로 신체의 각 부분에 보낸다고 상상한다. 그리고 숨을 내쉴 때마다 긴장이 차츰 신체에서 빠져나간다고 느낀다. 호흡이 충분하지 않으면 뇌가 가장 먼저 고통을 당하는 기관이 되고 스트레스 상황이 쉽게 전개된다. 어떤 종류의 것이든 압박을 받을 때는 "깊은 숨을 쉴 것"을 명심하라.

Siva 호흡

폐의 전체 부피를 다 활용하여 완벽한 요가 호흡을 하라. 최대한의 공기를 받아들이고 최대한 많은 산소를 신체에 공급하라. 이렇게 하면 모든 세포와 조직, 신체기관이 최상의 기능 수준을 유지할 수 있고 스트레스와 에너지 소진에 취약해지지 않는다. 완벽한 요가 호흡은 또한 신체에서 가장 효율적으로 몸에 해로운 폐가스(이산화탄소 등)를 제거한다.

요가를 최초로 창시한 시바(Siva)는 말했다.

"깊고 조용히 호흡하라. 호흡할 때 의식이 꼭 따라 들어가라. 반드시 가슴과 하복부로

Asana No. 027

Asana No. 028

크게 호흡하라". 호흡이 "회음"에 닿도록 깊고 느리게 호흡하라. 회음은 성기와 항문 사이에 있다. 호흡이 아랫배 밑 회음으로 깊게 내려가면 성(性)센터에 에너지를 주고 호흡이 성 센터에 닿는 순간 그곳을 마사지가 된다. 의식이 가는 곳에 에너지가 가고 에너지가 가는 곳에 혈액이 가며, 혈액이 가는 곳에 정기(精氣)가 왕성하게 된다. 이때 성 센터는 생기가 넘쳐흐른다. 이곳은 생명의 창조와 성장의 근원이며, 생명력과 활력의 근원으로 자신감을 갖게 하는 곳이다. 이곳이 강한 사람은 삶에 대한 강한 의지력과 활력이 넘친다. 그러나 이곳이 약하면 삶에 대한 의욕과 자신감이 떨어져 자기가 원하는 성공은 물론 자아실현을 할 수 있는 동력이 떨어진다. 장수는 호흡의 길이와 정비례한다. 호흡이 짧으면 단명한다.

아기는 성 센터로, 청소년은 배꼽으로, 장년은 위(胃)로 노년은 가슴으로, 임종이 가까워지면 목으로 발딱 발딱 가쁘게 숨을 쉰다.

숨의 길이가 짧아지면 늙는다는 뜻이다. 성 센터 호흡은 숨의 길이를 최대한 늘여 젊음을 극대화 하는데 있다.

회음 호흡은 자율신경의 언밸런스를 막고, 생체 내의 각종 호르몬계를 조절, 조화와 균형을 유지한다. 또한 모든 장기는 강화되고 심신 모두가 왕성한 생명력이 넘쳐흐른다.

회음호흡은 지극히 자연스러운 것으로 유아기부터 하고 있는 호흡을 성장한 뒤에도 계속하기만 하면 된다. 횡격막에서 내장을 거쳐 회음까지 의식적으로 20일정도 연습을 하면 습관화 된다.

하루 10분씩 두 번을 이 호흡을 열심히 수련하면 일주일이면 하복부가 따뜻한 열감이 생긴다. 하복부가 따뜻하고 머리가 늘 서늘해야 이상적인 건강상태이다. 일단 이곳에 열기가 생기면 호흡할 때마다 아랫배는 물론이고 회음까지 따뜻함을 느낀다. 호흡할 때 반드시 의식을 하복부 회음에 두고 집중호흡을 해야 된다.

회음 호흡은 뇌에서는 a파가 방출되며, 뇌(腦)내 모르핀이 분비된다. 혈액순환은 원활하여 부정맥에 탁월한 효력이 있다. 또한 호흡기 질환 심장병 고혈압 등에도 효과적이다.

탁월한 호흡

건강은 산소와 영양분을 몸속의 모든 세포에 고루 보낼 수 있는 왕성한 혈액의 흐름에서 시작된다.

호흡은 세포의 산소처리과정을 조절하며 우리 몸을 방어하는 백혈구를 포함하고 있는 림프액의 흐름을 조절한다. 림프시스템은 몸의 하수처리장치라고 볼 수 있다. 우리 몸의 각 세포는 림프액으로 둘러싸여있고 혈액보다 네 배나 많은 림프액이 있다. 심장에서 펴 올린 혈액이 동맥을 거쳐 모세혈관으로 간다. 영양분이 산소에 녹아 모세혈관으로 운반되고 림프라 불리는 세포주위의 용액으로 퍼져나간다. 세포는 건강에 필요한 영양분을 섭취하고 독소를 배출한다. 그 중 일부는 모세혈관으로 되돌아가지만 죽은 세포 혈중단백질, 기타 독소 등은 림프시스템에 의해 제거된다. 림프시스템을 활성화 할 수 있는 것은 오직 심호흡뿐이다.

림프시스템은 산소량을 제한하는 많은 독소와 과도한 체액을 배출하기위해 세포가 의존하는 유일한 수단이다. 림프액은 혈액중 단백질을 제외한 모든 죽은 세포와 독소를 중화하고 파괴하는 림프 절을 통과한다. 만약 이기능이 24시간 동안 완전히 중지되면 우리는 세포주위에 갇힌 혈중단백질과

Asana No. 029

과도한 용액 때문에 죽게 된다.

순환계는 펌프 역할을 하는 심장을 가지고 있다. 그러나 림프시스템은 그런 것이 없다. 림프가 움직일 수 있는 유일한 방법은 호흡과 근육의 움직임을 통해서이다. 효과적인 림프 시스템과 면역시스템으로 구성된 혈액순환을 원한다면, 심호흡을 해서 그것을 자극할 필요가 있다. 림프시스템의 세척작용을 촉진하는 것은 횡격막 호흡이 가장 효과적이다. 횡격막 호흡은 혈류를 통해 림프액을 빨아들여 몸의 독소를 제거하는 속도를 몇 배 빠르게 하며 심호흡과 아사나(asana)를 겸한다면 열다섯 배나 촉진시킨다. 심호흡 할 때 가장 중요한 근육은 횡격막이다. 횡격막은 돔(Dome)모양으로 폐에 속한 윗부분과 내장이 들어있는 아랫부분을 구분하는 근육으로 이 횡격막이 위아래로 움직여 숨이 나가고 들어오며 호흡이 이루어진다. 횡격막은 아랫배 근육에 의하여 조절되며 아랫배를 밖으로 내밀면 횡격막이 아래로 내려와 폐의 부피가 늘어나 생기(Prana)가 충분히 폐 속으로 들어간다. 날숨 때는 배꼽이 등에 닿는다는 기분으로 밀착하면 몸속의 탁한 에너지가 모두 몸 밖으로 발산된다.

몸속의 산소부족이 악성종양 또는 암세포로 변하는데 중요한 역할을 한다. 체내 시스템에 완전한 산소를 공급하는 것만큼 중요한 것이 없다. 이것은 효과적인 심호흡에서 시작된다.

미국인 두 명중 한 명이 암에 걸린다. 하지만 스포츠 선수들은 일곱 명중 한 명이 암에 걸린다. 이유는 운동선수는 체내에 산소를 훨씬 많이 공급하기 때문이다. 림프의 움직임을 자극해 그들 몸의 면역체계가 최고수준에서 작용하도록 촉진했기 때문이다.

림프시스템을 깨끗하게 할 수 있는 가장효과적인 호흡법은 1:4:2 비율로 내쉬는 숨이 두 배 길어야 되는 이유는 림프 시스템을 통해 독소를 제거하는 시간이 필요하기 때문이다. 네 배나 되는 시간동안 숨을 참는 것은 혈액 속에 산소를 충분히 공급하고 림프시스템을 활성화 하기위해서이다. 천천히 자신의 폐활량을 늘리면서 더욱 길게 심호흡을 계속하면 건강이 극적으로 개선되는 것을 경험하게 될 것이다. 한다.

이 탁월한 호흡만큼 몸에 좋은 음식이나 비타민, 그리고 보약은 없다.

요가의 절식(節食)

미타하라(Mitahara) 식사

음식으로 위(胃)의 4분의 2 채우고, 물로 4분의 1를 채우며, 4분의 1은 늘 비워 에너지가 소통하도록 해야 하며, 신에게 감사한 마음으로 식사하는 것을 미타하라(Mitahara)식사라 한다.

과식은 장기의 변형을 가져와 건강을 해치고 생명을 단축시킨다. 과식과. 과 영양은 (過營養)은 비만을 가져오고 몸속에 독소와 노폐물을 축적 질병의 직접적인 원인이 된다.

소식습관(小食習慣)

우리가 먹는 한 끼의 식사에는 대지, 햇빛, 달빛, 바람, 비, 구름, 농부와 벌의 수고, 그리고 산지에서 우리의 식탁에 오기까지의 수많은 고마운 손길이 있어 감사해야할 대상이 너무나 많다. 우주가 주는 귀한 선물을 과식함은 지구 어느 구석인가에 굶주린 사람이 있다는 것을 인식해야한다. 인류가 가진 지구의 자원은 유한하다. 요가에서는 과식을 죄악이라 한다. 남에게 돌아갈 몫을 절취(竊取)해서 먹기 때문이다.

대자연의 진리는 너무나 분명하고 철저해서 포식과 과식에 대한 대가를 반드시 지불해야 한다는 사실이다. 과식으로 인한 부정적인 급부가 자기신체에 질병이란 형태로 되돌아온다.

Asana No. 030

Asana No. 031

과식의 습관은 음식물이 흡수 배설되지 않은 채 몸속에 계속남아 노화를 촉진하고 면역력을 떨어뜨리고, 또한 당뇨, 고혈압, 동맥경화, 심장병 등 성인병의 원인이 된다.

과식은 음식을 소화시키고 에너지로 바꾸기 위해 더 많은 산소를 필요로 하는 과정에서 많은 활성산소를 생성 질병을 유발하고, 세포의 자살을 막는다. 세포 자살이란 늙고 병든 세포가 몸을 보호하기 위해 스스로 죽음을 선택하는 현상으로 죽어야할 세포가 죽지 않으면 돌연변이를 일으켜 암세포로 변하며 인체의 면역기능과 해독기능이 저하된다.

포만상태의 인체는 세균이나 바이러스가 침입하거나 혈관에 기름덩어리가 쌓여 동맥경화로 진행된다.

대지의 기운

인간은 음식을 통하여 대지의 기운을, 호흡으로 우주의 기운을 흡수한다.

뼈와 살을 이루는 요소가 흙이기 때문이다.

따라서 지구의 운행으로 변화하는 순수한 계절적이며 신선하고 향긋한 음식을 섭취해야만 대자연의 순리를 따르는 것이다.

대지의 기운과 우주의 기운이 인체 내 조화를 이룰 때 가장 이상적인 건강상태이다.

우리의 인체는 70%가 물로 이루어져 있다. 몸이 필요로 하는 것은 수분이 많은 자연식 과일, 채소, 새싹 등이다. 몸에 액체가 너무 적게 공급되면 혈액의 점성이 높아지고, 조직과 세포변화의 산물인 독성 있는 노폐물이 제대로 몸 밖으로 제거되지 못한다. 결국 몸이 자신의 배설물로 중독되는 주된 원인은, 용액 속에 세포가 만들어낸 노폐물을 배출할만한 충분한 수분이 공급되지 않기 때문이다.

물은 세상에 존재하는 것 중에서 가장 좋은 용해제이다. 따라서 충분한 양의 물이 공급된다면 독성이 있는 쓰레기 노폐물은 용해된 뒤, 신장을 통해서 소변으로, 피부를 통해서 땀으로, 내장을 통해서 항문으로, 허파에 의해서 호흡으로, 배설되고 제거된다.

Asana No. 032

반면에 독성이 있는 물질이 몸속에 쌓이도록 방치하면 각종 질병의 원인이 된다. 인간 수명은 세포의 수명에 의존한다. 혈류시스템이 노폐물로 꽉 차있으면 세포는 점점 약화되어 균형 잡힌 생화학 작용을 촉진하지 못하게 된다. 고로 우리가 섭취하는 음식의 70%를 신선한 물, 과일 채소로 비중을 높이는 것이 필수적이다.

Asana No. 033

과일은 가장 완벽한 건강식이다. 소화하는데 가장 적은 양의 에너지를 소비하면서 최대의 에너지를 돌려준다. 과일을 가장 효율적인 영양소로 완전 흡수하려면 공복에 먹어야한다. 과일은 위장에서 소화 되는 것이 아니고 소장에서 소화된다.

고기, 감자 등이 위장에 있을 경우는 위장에 갇혀 있다가 발효된다.

과일에는 혈액이 탁해져서 동맥을 막아버리지 않게 하는 성분이 함유 되어 있고, 모세혈관을 강화시킨다. 연약한 모세혈관은 뇌출혈이나 심장마비를 일으키는 요인이 된다.

명상(瞑想)

Asana No. 034

많은 양의 에너지를 쓰면서 끊임없이 흔들리는 것이 마음의 본질이다. 명상에서는 마음의 빛에 집중하면 우리는 절대적인 침묵과 평화를 경험한다. 이렇게 하면 몸과 마음에 근원적인 내적 휴식이 이루어지고 모든 스트레스가 제거된다.

명상을 통해 우리는 질투, 분노, 공포, 증오와 같은 감정들을 근원적으로 뿌리째 제거하는 "합일"의 경험에 도달할 수 있다.

명상이란 하늘처럼 영원불멸하는 인간의 본성과 덧없이 죽을 수밖에 없는 인간의 숙명을 통합하는 과정이다.

명상을 배우는 것은 이 삶에서 우리가 얻을 수 있는 가장 큰 선물이다.

명상은 마음이 지어낸 모든 환영(幻影)으로 부터 벗어나 미혹이나 집착을 내려놓고 무심의 상태에 머무는 것이다. 태어난 것은 죽고, 모은 것은 흩어지고, 쌓아올린 것은 무너지고, 높이 올라간 것은 아래로 추락한다.

인간의 삶이란 가을 구름처럼 덧없고 하늘에서 번쩍이는 번갯불과 같다. 우리는 지구라는 무대에 잠시 등장했다가 무대 뒤로 사라지는 광대에 불과하다.세상이란 무대에 등장한 광대는 자기 역할과 대사를 읊고 무대 뒤로 사라져야간다.

이것이 삶과 죽음이다.

단지 무대 뒤로 사라졌을 뿐, 그자는 사라진 것이 아니고 형상만 보이지 않을 뿐 존재 계에 살아 남아있다. 이같이 불멸의 진리를 배우는 것이 명상이다.

하늘을 스쳐지나가는 흰 구름을 바라보는 것처럼 생각을 지켜보자. 우리의 참된 본성은 하늘에 비할 수 있고 일상적인 마음의 혼란스러움은 구름에 비할 수 있다.

때로는 분노의 구름이 일고, 때로는 탐욕의 구름이, 때로는 증오의 구름이, 때로는 사랑의 구름이 오락가락 쉬지않고 움직인다. 이 구름들은 똑 같은 에너지의 여러 형태일 뿐이다. 그것을 하늘이 되어 무관심하게 지켜보아라.

이것이 관조(觀照)이다.

그대 내면의 하늘을 지켜보라. 구름이 자유롭게 떠다니도록 놓아 두어라. 그리고 제삼자가 되어 관찰하라. 구름은 오면 반드시 간다. 그것을 잊지 마라.

참지 못하는 분노가 일어났을 때, 분노에 휘둘리지 말고, 내가 분노하고 있구나! 알아차리고 분노를 지켜보면 분노가 슬그머니 꼬리를 감추고 사라진다.

분노를 따라가지 말고, 무관심으로 남으라.

자기내면의 하늘을 이해하게 되면 구름들은 허상이며 상상의 산물임을 알게 되는 날 그대 마음속에 아무것도 존재하지 않게 될 것이다. 그때 그대는 마음으로 부터의 해방이다.

인간의 본성은 순수하기에 순수와 비순수의 개념마저도 넘어있으며 모든 것을 포용 하는 것이다. 그저 왔다가 가는 것이 생각이다. 생각에 대해서 생각하지 않는 것이 생각을 다스리는 비결이다.

긴장을 풀고 긴장을 풀었다는 생각에 집착하지 않은 채 생각을 서서히 밑으로 가라앉혀 그 빈틈을 느려 나가는 것이다. 그 빈틈을 늘리고 더 늘려 텅 빈 공간을 만드는 것이 명상의 목적이며 그것은 우주에서 가장 위대한 예술이자 가슴을 대양(大洋)처럼 넓혀주는 멜로디이다.

순수한 눈으로 우리의 참된 본성을 바라보자.

죽음이란 낡아서 헤어졌을 때 갈아입는 옷이며 삶이란 단지 탄생과 죽음을 반복하는 니나노 춤이다. 죽음을 깊이 심사숙고하고 명상함은 마음 깊은 곳에서 실제로 변화를 이끌어내기 위함이다. 죽음을 명상함으로서 습관적인 삶의 올가미에서 벗어날 수 있고, 우리가 처음 마음의 자유가 무엇인지 알게 된다.

그 때 낡은 삶의 방식이 얼마나 어리석은지 깨달아 슬픈 것이고, 새로 전개되는 비전이 한층 거룩하니까 기쁠 것이다.

새롭게 용솟음치는 시원한 힘, 확신, 한없는 영감을 가져오는 기쁨이다. 습관의 오랏줄에서 해방된 당신은 점점 자유로워져 영적 성장을 향해 유도 미사일처럼 자유를 향해 날아갈 것이다.

죽음 이후 무엇이 일어나는지 어떻게 죽음을 맞이해야하는지 알지 못하는 어리석음을 일깨우기 위해 명상은 명쾌한 해답을 던져준다.

'점점 의식적이 되라'

'생각을 끊고 마음의 작용을 멈추어라'

마음이 사라지고 없을 때, 비로소 죽음이 없다는 것을 깨닫게 된다.

마음의 평화

당신은 요가 아사나을 통하여 육체적인 건강을 얻을 수 있고, 명상을 통하여 마음의 평화를 얻으며, 영혼의 각성에 도달 할 수 있다.

마음을 명상이라는 집중을 통해서 당신은 상상을 초월하는 또 다를 마음에 잠재된 능력을 발견할 수 있다. 명상은 자유의 심연에 들어가는 준비 작업이다. 명상 속으로 들어가면 갈수록 당신 자신의 에고는 점점 사라지고 자신의 에고가 사라지면 사라질수록 기쁨과 축복은 증폭된다.

당신은 명상을 통하여 인간의 지식으로는 도저히 설명할 수 없는 인간 본질의 법칙, 생명의 생성, 발전, 소멸의 법칙을 배우게 된다.

명상으로 당신의 존재는 하나의 광대한 우주이며 무한대의 시간과 공간이 당신을 위해 존재한다는 사실을 인식하게 될 것이다.

당신 곁에 자연스럽게 존재하는 세상 만물과 우주는 당신을 위해 존재한다.

당신은 수의 개념으로 하나이나, 우주와 합일되지 않은 당신은 하나가 아니다.

당신과 우주가 합일 되어야 완전한 하나가된다.

고로 당신밖에 우주가 없고 우주밖에 당신은 없다. 그럼으로 당신과 우주는 하나인 것이다.

그러나 당신의 제한된 의식이 주로 부정적인 면만을 따르게 됨으로 당신의 존재를 뛰어넘는 곳에 긍정적으로 활기찬 우주의 힘과 연결된 통로가 있다는 사실 조차 모르고 세상을 살다가 안타깝게 초로와 같이 사라진다.

만약 명상으로 심오하고 집중된 통찰력을 만날 수 있다면, 자기가 누구인지, 왜 사는지, 왜 이 지구에 왔는지를 알게 될 것이다.

끊임없는 명상으로 자아를 각성함으로서 무한이 확장되는 더 넓고 더 높은 의식의 상태에 도달하게 되면 헛된 욕망, 두려움, 혼란은 점차적으로 사라지고, 당신의 고통을 불러일으키는 거의 모든 환상들과 부정적 견해들을 긍정적으로 변형시키고, 초월하며 영원한 마음의 평화를 얻을 수 있다.

그러나 우리는 천국과 극락을 자기의 외부에서 찾아 헤매고 있다. 그러나 마음밖에 어디에도 천국과 극락은 존재 하지 않는다.

그럼으로 우리는 이미, 바로, 지금 천국에 와서 있는 것이다.

명상은 천국과 극락을 자기 내부 있다는 것을 알아내는 지혜이다.

자아초월(自我超越)

요가에서는 육체를 다스리는 효율적인 자세인 아사나, 호흡을 다스리는 푸라야나마, 마음과 영혼을 다스리는 명상을 통해 자아를 초월하여 신인합일을 목표로 한다.

Asana No. 035

이완(弛緩)

광속처럼 지나가는 현대 사회의 패턴을 "따라가려고" 애쓰다보면 생각지도 못하는 사이에 저장된 에너지를 다 써버리게 되고 몸과 마음은 재충전의 기회를 잃어버린다.

에너지 소비가 전혀 없을 때 우리 몸과 마음은 진정한 휴식(이완)을 경험한다. 그것은 재충전하는 자연의 법칙이다. 모든 행동은 저장된 에너지를 사용하기 때문에 휴식은 좋은 건강과 마음의 평화를 위해 필요하다. 적절한 휴식이 없다면 몸과 마음은 과로하게 되고 비효율적이 된다.

행동은 에너지를 사용한다는 뜻이다. 모든 행동은 일정한 종류의 스트레스를 유발하고, 과도한 긴장은 몸과 마음을 지치게 만든다. 현대 생활의 많은 부분들이 갈수록 점점 휴식을 어렵게 만든다. 때문에 우리는 자극의 폭격을 맞고 있다. 대부분의 사람들은 자기가 알지도 못하는 사이에 엄청난 양의 에너지를 소비한다. 휴식의 중요한 열쇠는 우리가 받고 있는 자극의 수를 줄이는 것이다.

아사나, 호흡 수행은 자신의 생각의 힘을 이용하여 마음을 진정시키는 능력을 발달시켜 줄 것이다. 이로 인해 내적인 평화의 경험에 이르며 정신적 이완 이후 신체적 이완이 자연스럽게 뒤따른다.

스트레스의 명약 이완

삶에서 주된 스트레스는 외부 상황에서 오는 게 아니라 그러한 외부 상황에 대한 당신 자신의 정신적, 정서적 반응에서 온다는 것을 자각하는 것이 중요하다. 아사나(asana), 프라나야마(pranayama), 명상의 수련을 통해 당신은 마음을 제어하고 최대한 긴장이 없는 상태를 유지할 수 있을 것이다. 긍정적인 생각은 한 발 멀리 떨어져 "침묵의 목격자"가 될 수 있는 능력이다. 적절한 정신적 태도를 유지할 때 당신은 잠재적으로 스트레스 상황에 대처

할 수 있고, 심지어는 즐길 만한 경험으로 전환시킬 수 있게 된다.

침묵보다 더 좋은 치유의 방법은 없다. 침묵은 소란과 마찰, 파열로 상처 입는 신경을 치료해준다. 침묵은 일상생활의 스트레스를 날려준다.

정신적, 육체적 안녕을 위해 중요한 것은 매일 일정시간을 따로 정하여 혼자서 마음이 평화롭게 될 수 있는 고요한 시간을 갖는 것이다. 요가의 아사나, 프라나야나마, 명상은 완벽한 이완을 하기위한 여정의 수련이다.

마음이 불안하면 몸도 긴장하고 근육을 이완하면 마음은 자동으로 이완된다.

몸을 이완하여 몸과 마음을 일치시키면 근심 공포 성냄이 가라앉는다.

온몸이 완전히 이완될 때 호흡은 점차 느려지고 깊어지며 생리적변화가 일어난다.

이완은 산소가 덜 소모되고 이산화탄소보다 적게 발생하며 교감신경의 활동이 줄어들고 부교감신경의 활동이 증가한다. 완전한 이완은 긴장과 피로가 감소하며 몇 시간 잠자는 효과가 있다. 때문에 스트레스상태에서 혈관이 수축되어 혈압이 올라가지만, 산화질소는 혈관을 이완시켜 혈압을 낮추고 분노와 적개심을 최소화 하는데 도움이 된다.

코티졸의 증가가 스트레스라면 코티졸의 감소는 이완이다. 스트레스에 의해 혈소판은 더 걸죽해지고 응고반응 일으킨다. 이완을 하면 산화질소 레벨이 급격히 증가한다. 산화질소가 분출하면 마음은 이완되고 기분을 좋게 만드는 신경전달물질인 도파민, 엔도르핀이 나온다. 따라서 생화학적 생리적 개선이 되어 건강상태가 증진된다. 신진대사가 낮으면 이완의 효과가 높고 산화질소가 증가한다.

몸과 마음을 완전하게 이완하면 생각은 끊어지고 의식은 초롱초롱하게 깨어 있게 된다. 이것이 최고의 명상이자 무심의 경지이다. 그리고 궁극적 해방이며 영혼의 자유이다.

Asana No. 036

신체적 휴식

Asana No. 037

아사나를 연습하는 사람들은 종종 잠을 적게 자도 충분하다고 느끼면서 휴식을 더 많이 할 필요성을 느낀다. 이것은 잠자리에 누울 때 재빨리 깊은 잠에 빠지기 때문이다. 깊은 수면은 몸과 마음을 재생시키지만 얕은 잠 내지는 꿈을 꾸는 상태는 에너지를 많이 사용한다.

정신적 휴식

마음이 끊임없이 자극에 노출되어 있을 때는 과 부화 상태에서 쉽게 에너지가 소진되기 마련이다. 걱정이 과도해질 때 에너지 자원은 혹사당한다. 정신적인 피로는 종종 신체에도 과도한 부담을 주어 모든 에너지를 고갈시킨다. 중요한 것은 매일 일정 시간은 걱정을 내려놓고 마음이 재충전의 시간을 갖도록 하는 것이다.

정신적 긴장을 경험할 때마다 몇 분 동안 천천히 그리고 리드미컬하게 숨을 쉬는 연습을 하면서 호흡에 집중하는 습관을 길러보자. 요가의 호흡 수행은 여러분 자신의 생각의 힘을 이용하여 마음을 진정시키는 능력을 발달시켜줄 것이다. 이로 인해 내적인 평화의 경험에 이르며 정신적 이완 이후 신체적 이완이 자연스럽게 뒤따른다.

아사나(asana), 프라나야마(pranayama), 명상은 모두 몸과 마음을 훈련시켜 편안히 휴식을 취하면서도 집중할 수 있도록 해 준다.

영적인 휴식

완벽한 정신적, 육체적 휴식은 내적으로 높은 단계로 비상했을 때만이 가능하다. 몸과 마음을 동일시하는 한 우리는 모두 그 누구도 아닌 자기 자신에게 의지할 수 있다고 생각한다. 미래에 대해서는 항상 걱정과 긴장이 있을 것이다. 신적인 근원에 다가가면 모든 행복이 내부에서 나온다는 자각에 이른다. 요가는 이러한 내적인 수련 기법이며, 또한 우리와 타인들을 갈라놓고 우리와 우리 자신의 내적 자아를 갈라놓는 경계를 허물어뜨리게 해 준다.

휴식(이완)은 일반적으로 단순히 육체적 상태로 인식되지만 실제로는 인간의 정신적, 감정적 본성이 자리한 민감한 영적인 신체로까지 연장되는 뿌리를 갖고 있고, 심지어는 보다 더 깊게는 인과율적 신체로까지 연장되는 근원을 갖는다. 바로 이런 이유로 해서 술이나 약물로 육체만을 쉬게 해보려는 시도가 성공하지 못하는 것이다. 적절하고 완벽한 휴식은 몸과 마음 그리고 영혼이 모두 편안해지는 상태에 있을 때만 가능해진다.

이완 자세

바닥에 편안하게 누어 다리를 50cm도 벌리고, 손도 몸에서 45도 각도로 몸에서 떼어놓는다. 손바닥은 위로 향하게 하고 온몸의 힘을 쭉 뺀다.

처음에는 숨을 깊고 길게 쉰다. 다음은 호흡을 가늘고 느리게 쉰다.

호흡을 통해 신체에서 긴장을 내보내도록 자기 최면을 건다. "뇌가 고요하다. 얼굴이 이완된다. 목이 이완된다. 어깨가 이완된다. 팔이 이완된다. 척추가 이완된다. 다리가 이완된다. 심장이 천천히 박동한다. 태양신경총이 편안하다. 온몸이 녹아내린다. 정신이 몽롱하다 "예컨대 숨을 들이쉴 때마다 공기에서 기를 빨아들이고 있다"고 상상한다. 이 기를 의식적으로 신체의 각 부분에 보낸다고 생각한다. 그리고 숨을 내쉴 때마다 긴장이 차츰 신체에서 빠져나간다고 느낀다. 호흡이 충분하지 않으면 뇌가 가장 먼저 고통을 당하는 기관이 되고, 긴장, 불안, 성냄 같은 스트레스 상황이 전개되면 많은 에너지가 소모되고 각종 질병의 원인이 된다. 어떤 종류의 것이든 압박을 받을 때는 "깊은 숨을 쉴 것"을 권장한다.

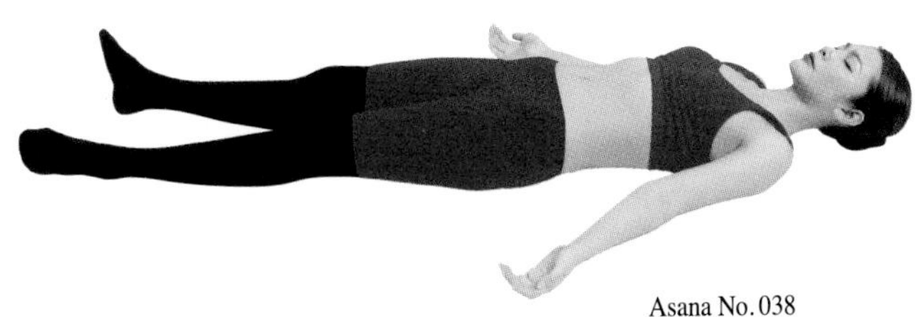

Asana No. 038

어린이 자세

무릎을 꿇고 발뒤꿈치 위에 앉아 앞으로 구부리면 이마는 땅에 닿는다. 두 팔을 앞으로 쭉 뻗고 온몸에 힘을 빼고 편안히 쉬게 한다. 코를 통해 가볍게 숨을 쉰다.

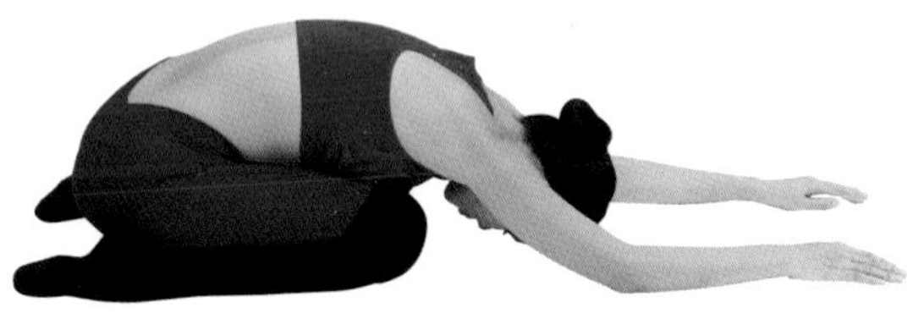

Asana No. 039

악어 자세

얼굴과 배를 아래로 향하고 누워 두 손을 앞으로 쭉 뻗는다. 눈을 감고 깊이 숨을 쉬며 마치 시체가 된 것처럼 해서 숨을 들이쉴 때 복부가 땅 쪽으로 눌리고 숨을 내쉴 때 복부가 올라오는 것을 느낀다.

아사나(asana)는 육체뿐만 아니라 정신에도 작용한다. 집중력을 이용하여 아사나는 근육을 재훈련하여 편안한 상태로 활동하게 한다.

이완은 아사나 시작 전, 도중, 이후에도 이루어지며 몸 안에서 프라나 즉 생명 에너지의 적절한 흐름을 보장한다.

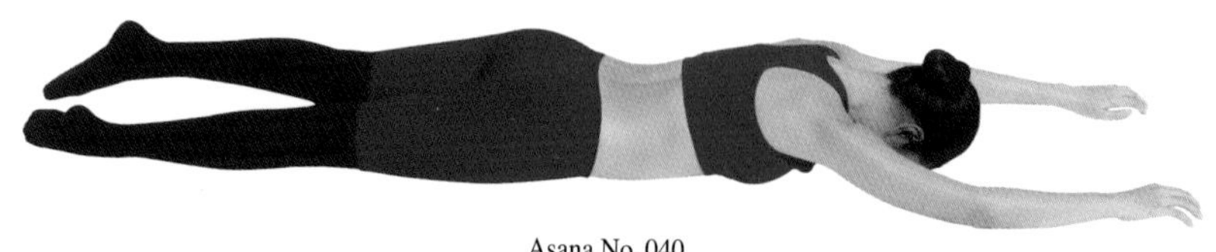

Asana No. 040

웃음 요가

'웃음은 천국으로 가는 문이요, 영혼의 멜로디이자 천사의 춤' 이다.

'웃음은 암을 퇴치하는데 가장 강력한 점령군' 이다.

'웃음은 신이 인간에게 준 최고의 선물' 이다.

스탠퍼드 의과대학 윌리암 프라이드 교수의 40년간 웃음연구 자료에 의하면, 크게 웃게 되면 몸 속의 650개 근육 중 231개가 한꺼번에 진동하게 되어, 10분을 웃게 되면 70분 동안 자전거 타거나 에어로빅을 하는 효과가 있다고 적었다.

미국 뉴욕대학교 의과대학장 로이진 박사는 논문에서 많이 웃으면 8년을 장수하고, 긍정 적적인 성격은 6년이 젊어진다고 했다.

그러니 늘 얼굴에 웃음을 짓고 긍정적인 사고를 간직한다면 16년을 더 즐겁고 행복하게 장수할 수 있으니 불로장생의 명약이다.

웃음과 기쁨은 산들바람처럼 부드러운 파장으로 온몸의 구석구석에 전파되어 내장 마사지, 기억력 강화, 콜레스테롤 분비 억제, 위장, 간장, 대장 질병의 저항력 강화, 면역기능 강화, 혈액순환개선, 콜레스테롤 수치 감소, 각종 암 예방, 암 킬러(NK)세포의 활성화 등 다양한 효과가 있다.

웃음은 부정적이고 억압된 감정을 긍정적이고 낙천적인 성격으로 바꾸어 불쾌감을 명랑으로, 절망을 희망으로 바꾸는 놀라운 마력을 가지고 있다.

반면 분노와 스트레스는 짧고 모난 파장으로 쓰나미(Tsunami)처럼 인체 에 충격을 주어 면역기능을 약화시켜 장기적인 반복으로 발병의 원인이 된다.

웃음은 분노, 화냄, 두려움, 슬픔, 증오심, 피로, 고독, 각종질병으로 불결해진 혈액을 청결하게 함은 물론 스트레스에서 해방될 수 있는 명약이다.

Asana No. 041

배꼽을 쥐고 10분을 웃으면 1시간 조깅한 효과를 볼 수 있다.

웃음의 반대는 울음이 아니라 분노와 스트레스다.

신나게 웃으면 감기도 걸리지 않는다. 스트레스는 병을 불러오고 웃음은 병을 몰아내는 건강의 사도이다.

"웃음으로 운명을 바꿔보자"

웃음의 종류

크게 많이 웃는다. 때로는 쩌렁쩌렁하게 고함치듯, 헤헤헤 히히히는 뇌 웃음, 하하하 심장 웃음, 호호호 후후후는 배 웃음, 때로는 고함치듯, 히죽히죽, 킬킬킬킬, 허허허허, 까르르르, 깔깔 깔깔, 메아리가 은방울 소리 내듯, 눈웃음, 코웃음, 박장대소, 건들 웃음, 야한 웃음, 과부의 여우웃음, 진시 왕이 통일천하를 이루고 웃었다는 벼락웃음, 조조의 날라리 웃음, 양귀비의 꽃 웃음, 사나이 심장을 멎게 하는 처녀의 간드러진 옥구슬 웃음, 네로의 악어 웃음, 히틀러의 하이에나 웃음, 스탈린의 썩은 웃음 등 380가지 웃음이 있다고 하나, 결코 비웃음이나 쓴 웃음, 조롱 웃음, 실소, 맥 빠진 웃음은 웃지 않는 것이 좋다.

어린 아이 때는 400에서 500번을 웃고, 10대는 300번을 웃으며, 4,50대는 50번을 웃는다. 그러나 70대는 열 번을 웃지 않는다고 한다, 근육과 뼈는 굳고, 감성은 무뎌지고, 희망은 줄고, 의욕이 떨어진 때문이다.

Asana No. 042

그래서 나이가 들어갈수록 웃음이 필요하다고 웃음을 권장한다.

배꼽을 쥐고 웃을 때는 하복부가 등에 밀착되어 몸속의 탁기가 몸 밖으로 배출되고, 들숨이 자연히 깊어지기 때문에 단전호흡을 하는 효과가 있다. 그러므로 폐에 충분한 공기의 교환이 되고 심장도 빨리 뛰어 운동하는 효과가 있으며, 웃고 나면 심장은 물론 모든 장기가 편안해진다.

웃음의 대상이 있어 기쁠 때만 웃는 것이 아니라, 억지로 웃는 웃음도 몸에는 90%의 효과가 있다고 했다. 일부러 웃음으로 기뻐지는 방법만 익힌다면 웃음거리가 전혀 없는 상황에서도 웃음을 늘 간직할 수 있다.

한 달만 연습하면 누구나 언제 어디서나 주위에 누가 있든, 없든 웃음을 만들어 웃을 수 있고, 습관화된다면 평생 웃음으로 기쁜 삶을 살아갈 수 있다.

웃음에 성심을 다해 투자한다면, 기쁨, 건강, 행복을 덤으로 얻을 수 있다.

우리가 한번 크게 웃을 때 엔도르핀과 에케파린이 나오는데 어느 학자가 환산한 것을 보면 200만원의 가치가 있다고 한다.

웃음 아사나

이것은 천둥 웃음이다.

첫째, 입과 기도를 가능한 한 크게 벌린다.

둘째, 배를 등 쪽으로 힘껏 당기며 허리를 최대한 구부린다.

셋째, 두 손은 아랫배를 약간 누른다.

넷째, 첫째, 둘째, 셋째 동작과 동시에 아랫배로부터 천둥소리를 낸다는 기분으로 "아" 소리를 몸 전체가 흔들릴 정도로 우렁차게 하하하 하하, 하하하하, 하하하하 웃는다.

눈웃음이나 입가에 잔잔한 웃음도 물론 더없이 좋으나 천둥웃음을 웃을 때, 몸 전체의 근육 중 2분의 1이 움직이고, 심호흡 하는 효과가 있다. 다량의 산소가 몸속으로 운반되어 혈액이 청결해지고 기분이 상쾌해진다. 뿐만 아니라 복부비만을 치료하는 효과 있고 체중조절에도 많은 도움이 된다.

Asana No. 043

긍정적 사고

의식의 전환

창조의 원리는 의식이다.

의식에서 우주의 물질 입자에 해당하는 것은 밝은 빛이다. 인간은 의식의 빛이 밝을수록 지혜로워진다. 지혜로워 짐으로서 심리적으로나 신체적으로 건강해질 수 있다. 지혜란 고차원적 에너지와의 결합된 결과물이기 때문이다.

신체를 강화 시키는 높은 힘의 에너지 패턴은 뇌에서 엔도르핀 분비를 촉진시켜 모든 기관을 튼튼하게 해주지만, 낮은 힘의 에너지 패턴은 아드레날린을 분비케 하여 면역 반응을 억누르고 특별한 장기를 약화시킨다.

맑고 긴 파장의 에너지 흐름은 사랑, 웃음, 기쁨, 희망, 정의, 헌신은 긍정적 감정으로 이 고차원적 에너지가 신체의 건강은 물론 성공의 원동력이 되고, 질병치료에 직접적인 영향을 미친다.

반면에 탁하고 각이 지며 짧은 파장의 에너지 흐름은 분노, 미움, 공포, 슬픔, 좌절, 절망의 부정적 감정으로 저 차원적 에너지가 실패의 원인이 되고, 질병유발에 직접 영향을 미친다.

때문에 누구나 건강을 위해서나, 성공을 위해서 부정적인 감정을 긍정적인 감정으로 바꾸는 의식의 대전환이 요구된다.

Asana No. 044

질병의 원인

수많은 육체적 질환은 감정적 스트레스와 연관된다. 스트레스라고 느끼는 것들은 흉선(thymus)의 분비를 저하시키므로 신체의 저항력을 약화 시킨다. 뿐만 아니라 분노는 몸과 마음의 통로로 곧바로 연결 되어 생각이나 감정에 따라 육체는 순간순간 반응하고 바뀌게 된다.

세상을 부정적으로 보는 마음이 지배적이게 되면, 그 직접적인 영향은 신체의 여러 장기로 이어지는 에너지의 흐름에 미세한 변화가 반복적으로 나타나게 되어, 그의 진행은 발병의 원인이 된다.

질병이란 마음의 작용이 무엇인가 잘못되고 있다는 증거이며, 바로 그 마음이야말로 변화를 가져오게 하는 힘의 존재하는 장소이다.

부정적인 감정은 표면의 힘이다. 표면의 힘, 즉 호전성은 똑 같은 강도로 반대 방향에 반사작용을 낳는다는 사실이다. 육체적이든 정신적이든, 모든 공격은 반격을 가져 온다. 적의는 항상 자신을 편치 않게 만들고 적의가 존재하는 한 우리는 항상 자기 자신의 원한의 희생자가 된다. 아무리 비밀스럽게 적대감을 감춘다 해도 그것은 우리 몸에 생리학적인 공격을 가하는 결과를 낳는다.

모든 질병은 생각의 변화나 우리의 습관적인 반응을 바꿈으로써 치유될 수 있을 것이다. 인류에게 알려진 어떠한 질병이든 자연적으로 치료 되었다는 기록이 역사상 허다하다.

희망 없는 불치병에서 치유된 환자들에게는 의식의 대전환 현상이 공통적으로 나타난다. 이러한 의식의 대전환으로 인해 질병을 초래한 부정적인 요소가 더 이상 작용을 못하게 되는 것이다.

Asana No. 045

의식의 도약

존 디 록펠러(John D Rockefeller)는 1839년에 태어나 1937년 사망한 사업가이자 박애주의자이다.

그는 공격적인 경쟁행위로 자기사업에 장애가 되는 수많음 경쟁자들을 무자비하게 제거하면서 1882년 미국의 원유사업을 독점하고, 세계최초로 기업트러스트를 창안, 세계 제일의 부자가 된다.

그는 53세 되던 해에 원인 불명의 병에 걸려 그의 주치의로부터 1년 이상을 살수 없으니 임종을 미리 준비하라는 간곡한 부탁을 받는다.

강철같이 강하고 면도날 같은 그의 성격은 타인을 전혀 배려 할 줄 몰랐던 것이다. 그가 임종이 임박해서야 자신의 과거를 돌아보고 많은 것을 가졌지만 가장 중요한 것을 잃은 것을 후회하고 자기가 임종 전 마지막으로 일류를 위해 자신의 재산을 사용할 것을 결심한다.

그 후 놀라운 사실은 자신이 마음을 바꾸어 가진 부를 사회에 환원하기 시작하면서 그의 불치의 병이 빠른 속도로 회복 되여 갔다는 사실이다.

당시의 의학계에서 풀 수 없는 불가사의한 사건으로 화제가 되었던 일이다. 록펠러가 세상을 떠난 것은 시한부 생명을 선고 받은 후 무려 45년이 지나서였다. 자기가 가진 부로 박애를 실천하고 그 수천 배인 돈의 가치로 도저히 환산할 수 없는 건강과 마음의 평화라는 엄청난 선물을 받은 것이다.

그는 53세에 사망선고를 받았지만 박애정신으로 바뀐 그의 인생은 98세를 살아 그 시대에 드문 장수인이 된 것이다. 그의 인류애는 록펠러 대학을 세우고, 빈민 구제사업, 록펠러

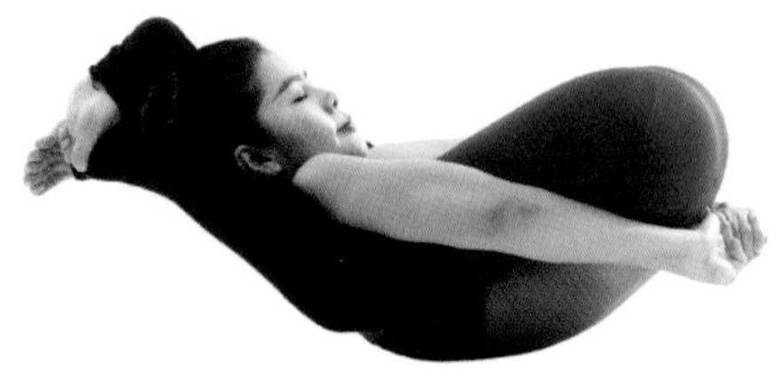

Asana No. 046

의학 재단을 세워 인류애를 실천하는 모체가 된 것이다.

우리는 자연적으로 치유된 사람들에게서 사랑의 능력과 자비의 중요성에 대한 인식이 현저하게 커진 것을 공통적으로 보게 되고, 이것이 치유의 요인으로 작용했음을 깨닫게 된다.

Asana No. 047

즉 록펠러의 불치병으로부터의 회복은 자아의 탐욕으로 형성된 꺼대기가 사라지는 순간, 인류를 위해 헌신하겠다는 의식의 고차원적인 에너지가 질병이란 낮은 에너지의 활동을 무력하게 만든 결과이다.

어떠한 질병이든 그 치유는 자기 자신과 인생을 새롭게 바라보는 자발적인 태도에 달려 있다.

인간성의 치유를 위해서는 원한이나 복수심, 공격하려 는 생활양식을 뿌리째 뽑아버리는 일이 절대적으로 필요하다.

세상에 치료가 불가능한 절망적인 사항이란 없다. 어느 곳, 어느 시대, 누가 지금까지 기술한 과정을 통하여 질병이나 최악의 상황에서 회복된 수많은 사례가 있어 왔다는 것만은 자명하다.

진화의 고통스러운 과정을 통과하는 데 있어서 우리 자신이나 인류 전체에 자비심을 품는 것은 질병의 호전을 위해서나 의식의 진화를 위해서나 아주 중요한 요소이다. 그렇게 함으로써 만이 우리는 정신적으로나 육체적으로 치유를 받을 수 있을 뿐만 아니라 치유를 할 수도 있게 되는 것이다.

오직 이 길만이 이 시대의 인류의 육체적, 영적 타락을 치유할 수 있는 희망의 길이다.

이 모든 것은 우리가 무조건적인 사랑을 줄 수 있는 단계에 도달하기만 하면 불사의 인간이 될 수 있다는 것을 의미한다.

죽음이란 환상에 불과 하며 삶이란 계속되는 것이다. 오직 신체적인 것에 국한 되어 있는 우리의 한정된 의식 능력만이 계속되는 삶을 못 볼뿐이다.

우리가 원해서 이 지구에 왔는지는 알 길이 없다.

그러나 영적 재앙이 만연한 이 시대에 희생되지 않으려면 의식의 도약을 이루지 않으면 아니 된다.

의식의 도약이야말로 육체를 가치 있는 생명으로 부여 할뿐만 아니라 육체를 초월하여 존재의 또 다른 차원에서도 계속 살아남는 약동하는 고차원적인 에너지인 것이다.

우리는 유한한 생명을 살다가 이 지구를 떠난다. 의식의 도약만이 이 행성에 주고 갈 값진 선물이란 사실을 인식하지 않으면 아니 된다.

우리는 이 행성에 잠시 왔다가 사라지면서 보다 나은 세상을 만들기 위해 애쓴 흔적을 남기고 가야만 한다.

한 개인의 의식의 도약은 자신 영적 성장을 이룰 뿐 아니라 전 인류에게 사라지지 않을 유산을 남기는 것이다.

Asana No. 048

Hero Series

영웅자세

Vira Parampara
Hero Series
비라 파람파라
영웅 자세 연속

Vira Parampara
Hero Series
비라 파람파라
영웅 자세 연속

Asana No.051

Vira Parampara
Hero Series
비라 파람파라
영웅 자세 연속

Asana No.052

Vira Parampara
Hero Series
비라 파람파라
영웅 자세 연속

Vira Parampara
Hero Series
비라 파람파라
영웅 자세 연속

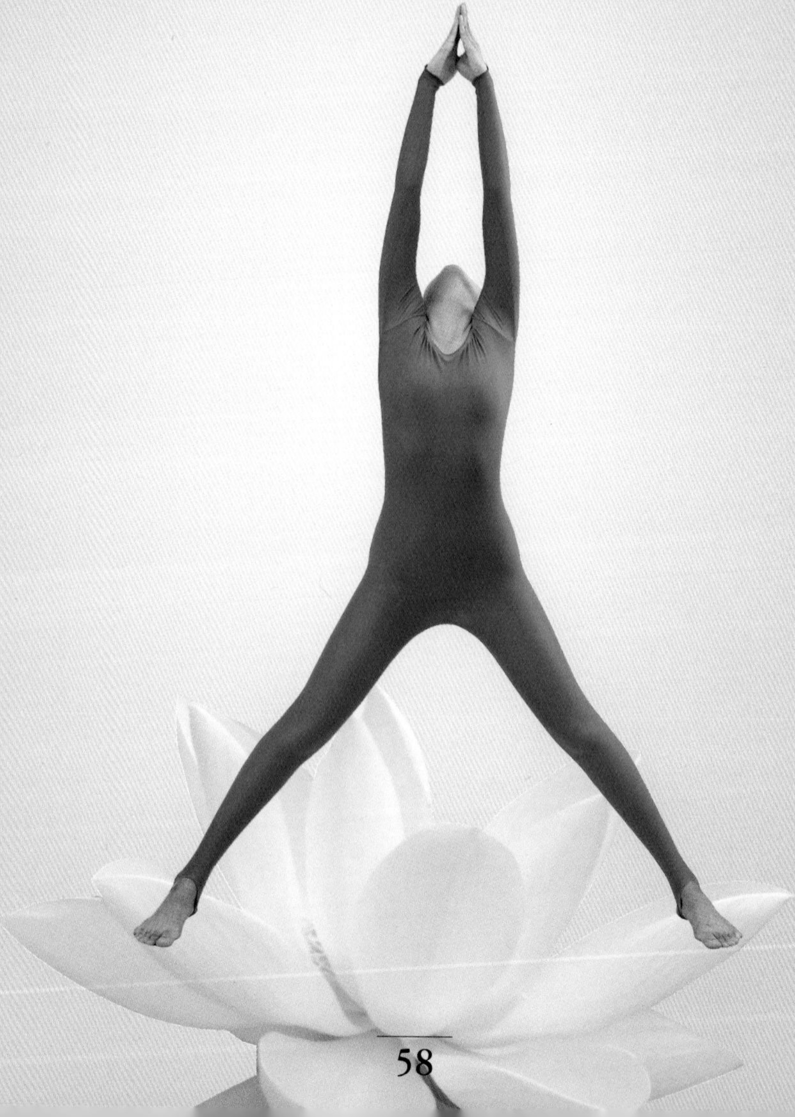

Vira Parampara
Hero Series
비라 파람파라
영웅 자세 연속

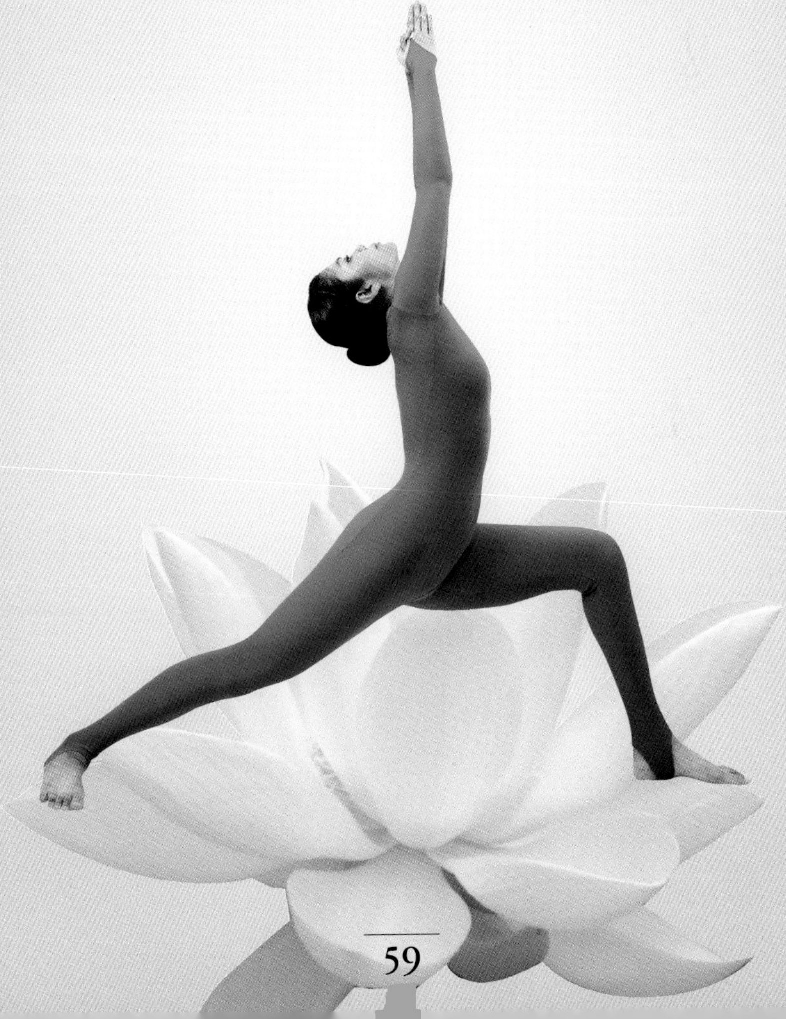

Asana No.055

Vira Parampara
Hero Series
비라 파람파라
영웅 자세 연속

Vira Parampara
Hero Series
비라 파람파라
영웅 자세 연속

Vira Parampara
Hero Series
비라 파람파라
영웅 자세 연속

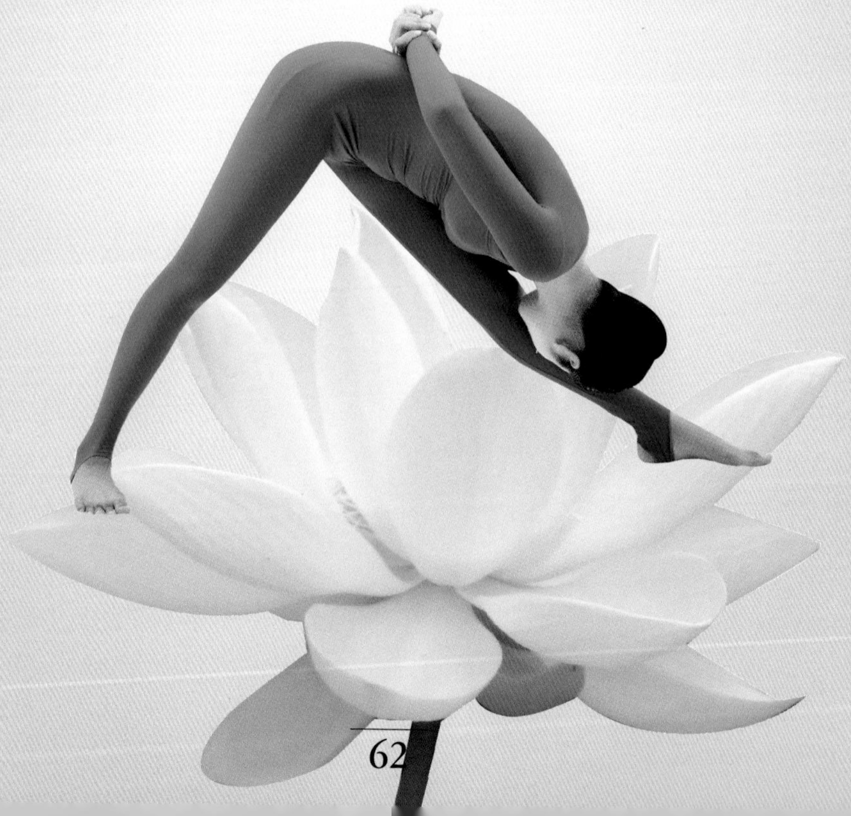

Vira Parampara
Hero Series
비라 파람파라
영웅 자세 연속

Standing Poses

선 자세

Tadasana
Mountain Pose(Variation)
타다아사나
산 자세(변형)

Canha Yoga

Utthita Bhujangasana
Standing Cobra Pose
우티타 부장가아사나
서서 코브라 자세

Asana No.061

Virabhadrasana I
Warrior Pose Ⅰ(Preparation)
비라바드라아사나 Ⅰ
전사 자세 Ⅰ(준비)

전사 자세

이 아사나는 육체의 평형, 균형, 조화를 이루는 되 필수적이다. 폐활량 증가되고, 내장을 수축하고 진정시키며, 복부, 허리, 엉덩이 비만을 방지하고, 다리 근육을 더 날씬하고 튼튼하게 만들어 활력과 민첩성을 준다.

인간의 육체와 정신의 조화가 일그러지고 육체의 균형이 깨질때 고통과 질병이 발생한다. 건강을 항상 유지하기위해는 육체의 대칭적 균형과 정신과 육체의 이상적 조화가 필수적이다.

이 아사 나는 발바닥을 고르게 땅에 밀착시켜 균형감각을 발달시키고, 집중력을 향상시키며 어긋난 척추디스크와 꼬리뼈를 교정하여 모든 움직임의 자세와 마음가짐을 향상시킨다.

Asana No.062

Virabhadrasana Ⅰ
Warrior Pose Ⅰ
비라바드라아사나 Ⅰ
전사 자세 Ⅰ

Virabhadrasana II
Warrior Pose II
비라바드라아사나 II
전사 자세 II

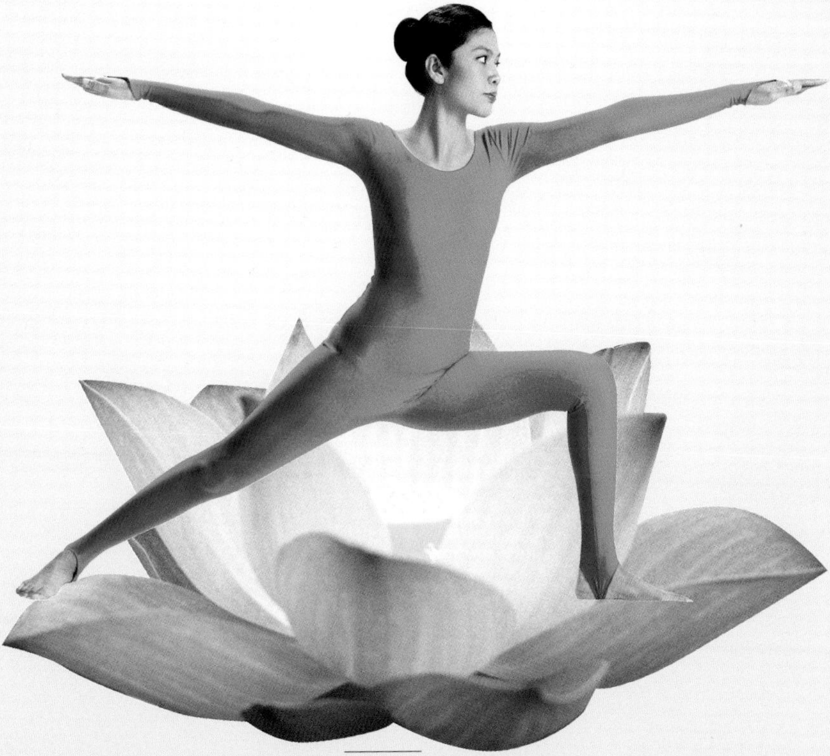

Virabhadrasana Ⅲ
Warrior Pose Ⅲ
비라바드라아사나Ⅲ
전사 자세Ⅲ

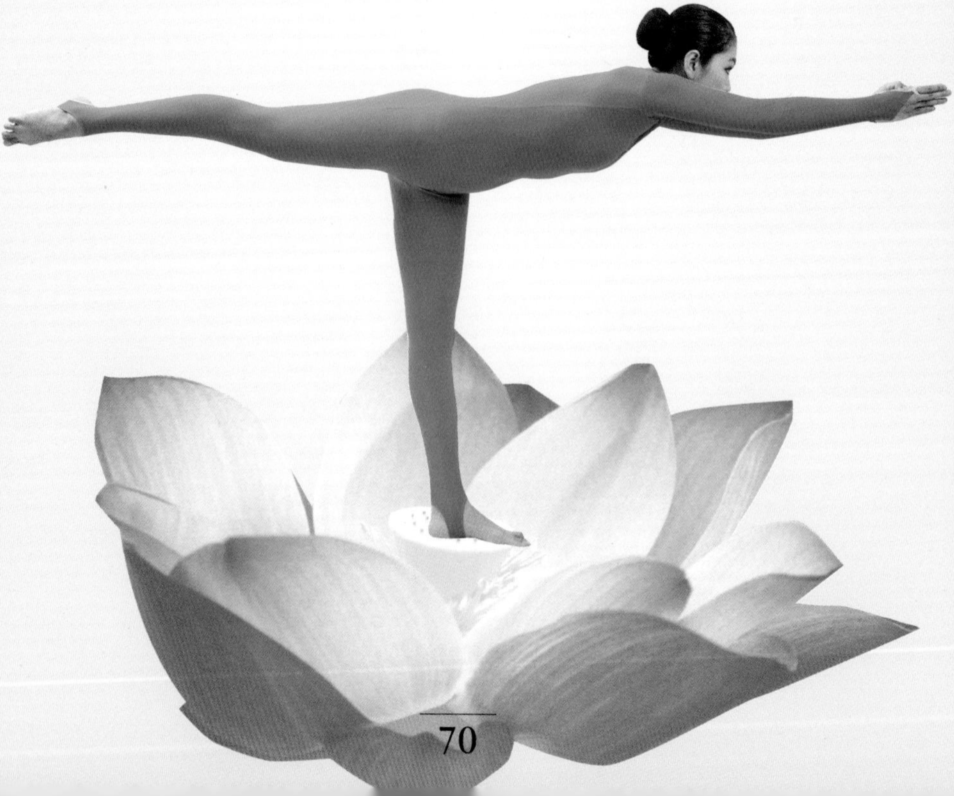

Uudhasana
Fighting Warrior Pose
유다아사나
전사 자세

Asana No.066

Patanurkshasana
Toppling Tree Pose
파타누르크샤아사나
넘어지는 나무 자세

Asana No.067

Ardha Chandrasana
Half Moon Pose
아르다 찬드라아사나
반달 자세

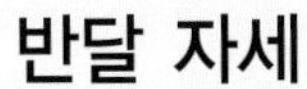

다리의 충격으로 인한 부상치료, 소화기 기능강화 요추의 신경을 강화한다.

Asana No.068

Ardha Chandrasana
Half Moon Pose(Variation)
아르다 찬드라아사나
반달 자세(변형)

Asana No.069

Vrkshasana
Tree Pose(Variation)
브르크샤아사나
나무 자세(변형)

Utthita Parshvasahita Standing Leg Going to the Side Pose(Preparation)

우티타 파르쉬바사히타 서서 다리를 옆으로 향하는 자세(준비)

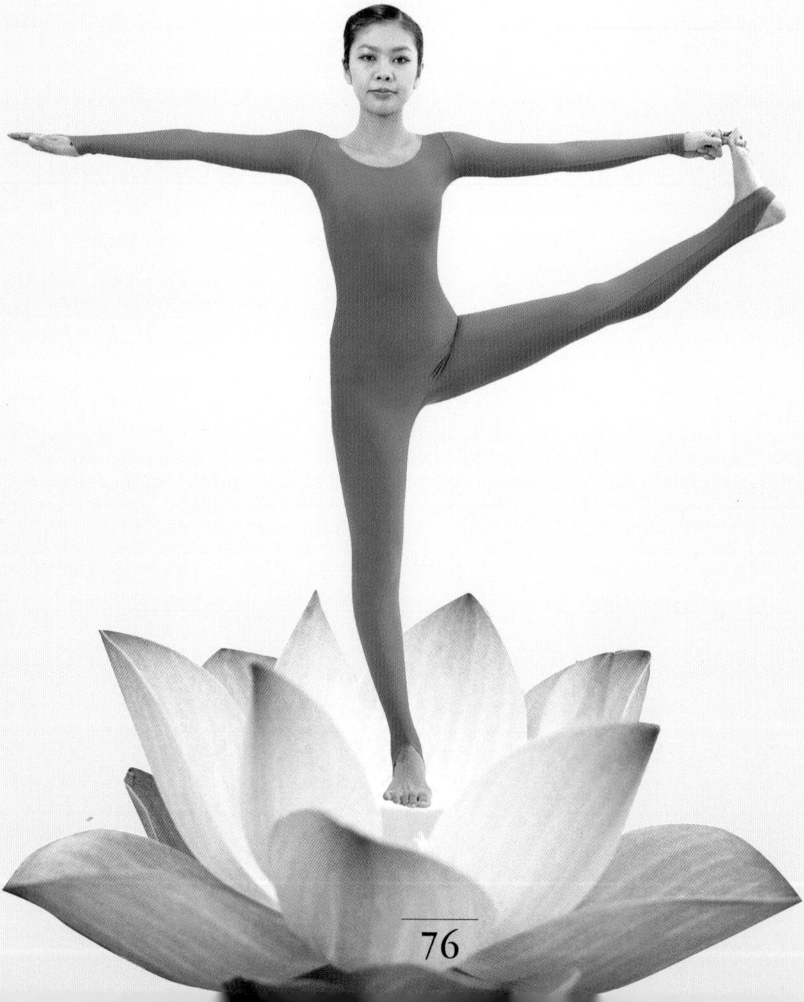

Asana No.071

Vrkshasana
Tree Pose(Variation)
브르크샤아사나
나무 자세(변형)

Vrkshasana
Tree Pose(Variation)
브르크샤아사나
나무 자세(변형)

Vrkshasana
Tree Pose(Variation)
브르크샤아사나
나무 자세(변형)

Utthita Vayu Muktyasana
Standing Wind Relieving Pose
우티타 바유 무크트야아사나
서서 바람빼기 자세

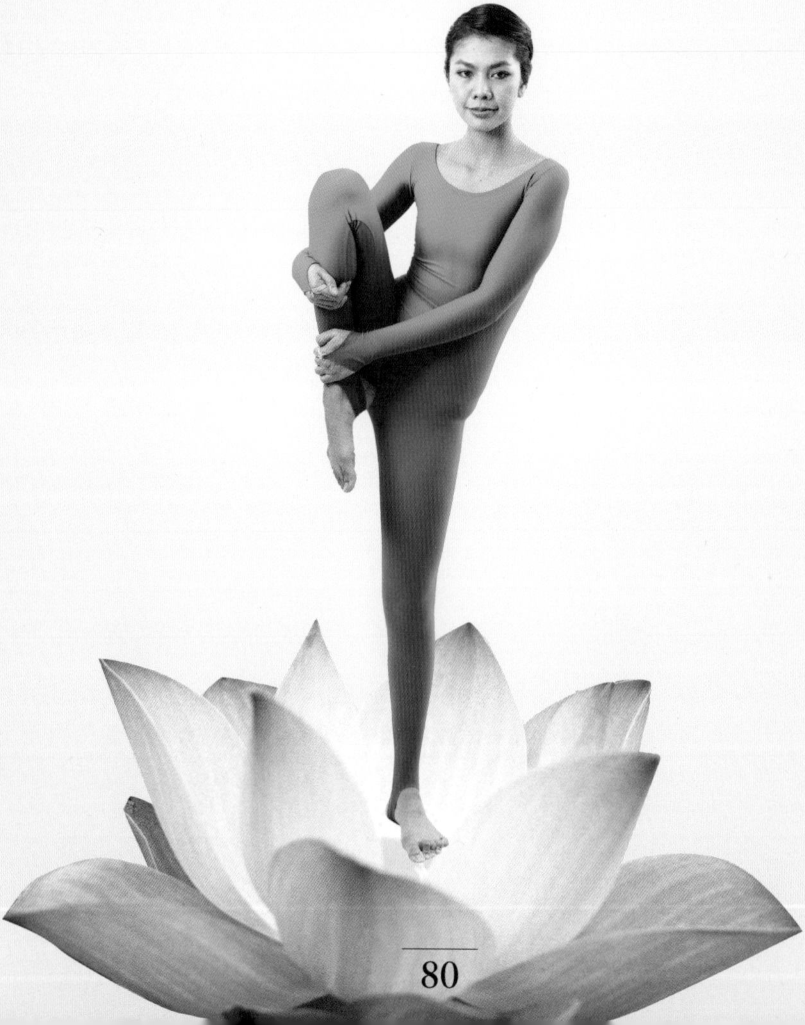

Kulpha Vrkshasana
Ankle Tree Pose
쿨파 브르크샤아사나
발목을 이용한 나무 자세

Kulpha Vrkshasana
Ankle Tree Pose(Variation)
쿨파 브르크샤아사나
발목을 이용한 나무 자세(변형)

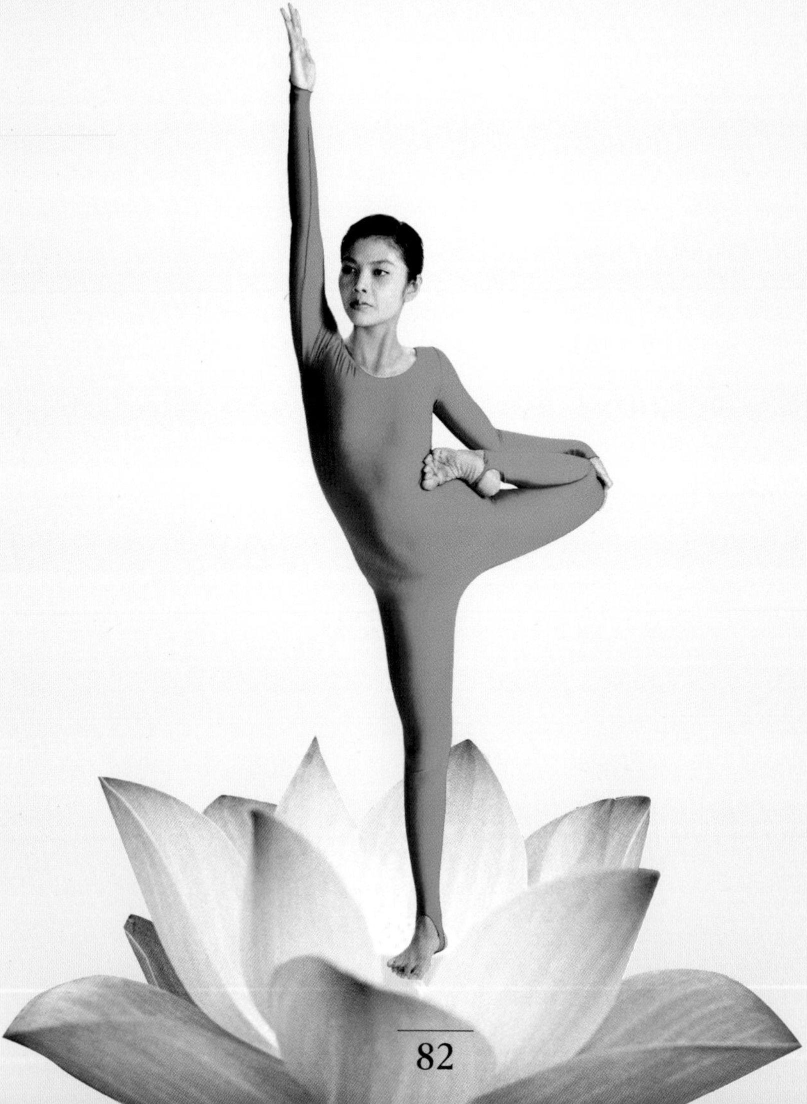

Kulpha Vrkshasana
Ankle Tree Pose(Variation)
쿨파 브르크샤아사나
발목을 이용한 나무 자세(변형)

Asana No.078

Natarajasana
Dancer Pose(Preparation)
나타라자아사나
댄서 자세(준비)

시바춤 자세

시바(Siva)는 최초로 요가를 창시한 신이다. 이 자세는 요기가 시바신에게 감사를 드리는 봉헌의 자세이다. 고행을 통해 최고의 능력을 성취한 신으로 영적자각을 상징한다. 우주는 창조, 유지, 파괴, 휴식의 질서로 끝없이 반복된다. 정의가 쇠퇴하고 악이 세상을 덮을 때 악을 멸하고 선을 보호하기위해 새로운 우주의 질서가 필요한 시기에 나타나 시바가 들고 있는 다리를 내리는 순간, 우주는 파괴된다.

자세는 우아해지고 몸과 마음의 균형과 조화를 이루도록 돕는다. 다리를 강화시키며 척추와 복부 기관을 진정시키고, 활력을 띄게 한다. 흉부와 어깨 관절은 완전히 스트레칭 되며, 치부에는 혈액이 원활하게 공급되어 회춘에 도움이 된다.

Asana No.079

Natarajasana
Dancer Pose(Preparation)
나타라자아사나
댄서 자세(준비)

Asana No.080

Natarajasana
Dancer Pose(Preparation)
나타라자아사나
댄서 자세(준비)

Asana No.081

Natarajasana
Dancer Pose(Variation)
나타라자아사나
댄서 자세(변형)

Natarajasana
Dancer Pose(Variation)
나타라자아사나
댄서 자세(변형)

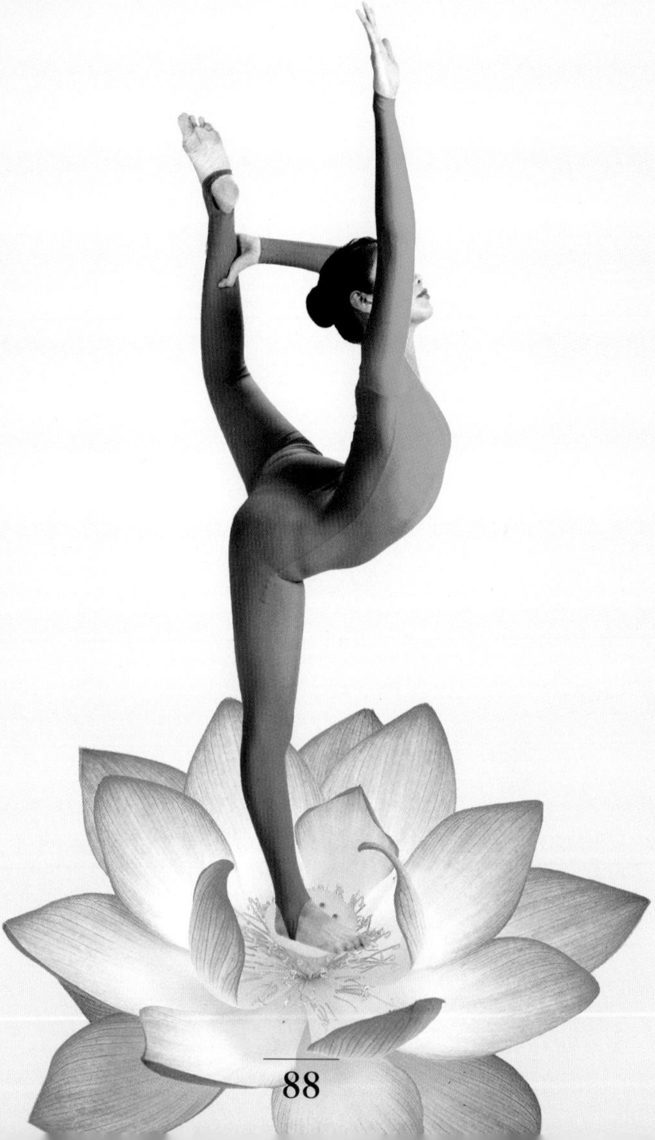

Asana No.083

Natarajasana
Dancer Pose(Variation)
나타라자아사나
댄서 자세(변형)

Natarajasana
Dancer Pose(Variation)
나타라자아사나
댄서 자세(변형)

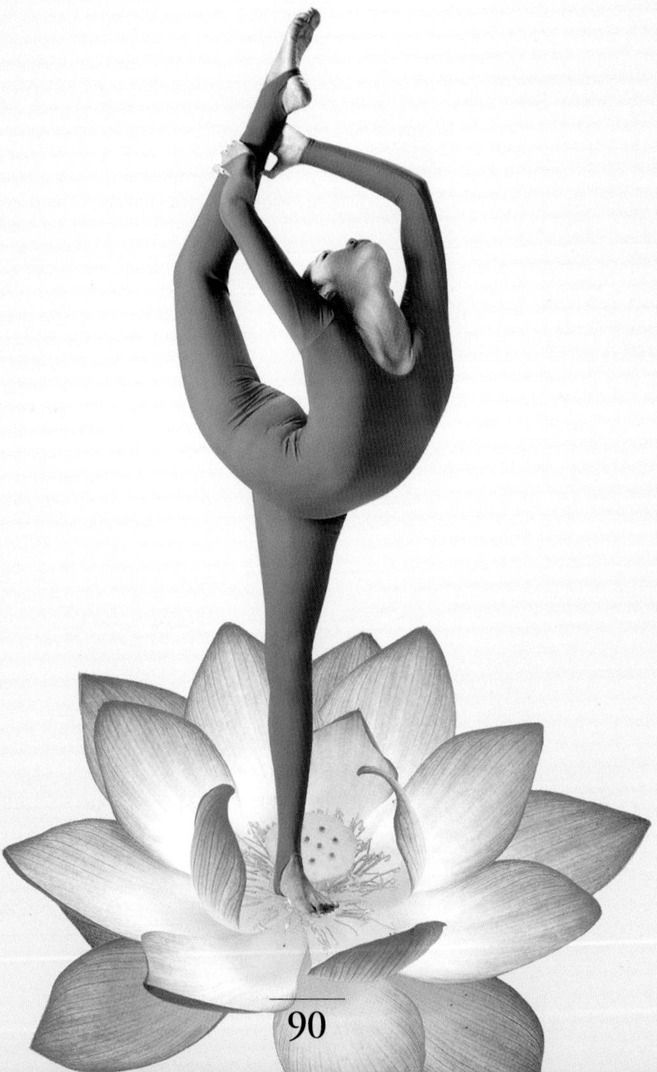

Asana No.085

Yoganandasana
Yogananda's Pose
요가난다아사나
요가난다의 자세

Canha Yoga

Asana No.086

Yoganandasana
Yogananda's Pose(Variation)
요가난다아사나
요가난다의 자세(변형)

Natarajasana
Dancer's Pose(Variation)
나타라자아사나
댄서 자세(변형)

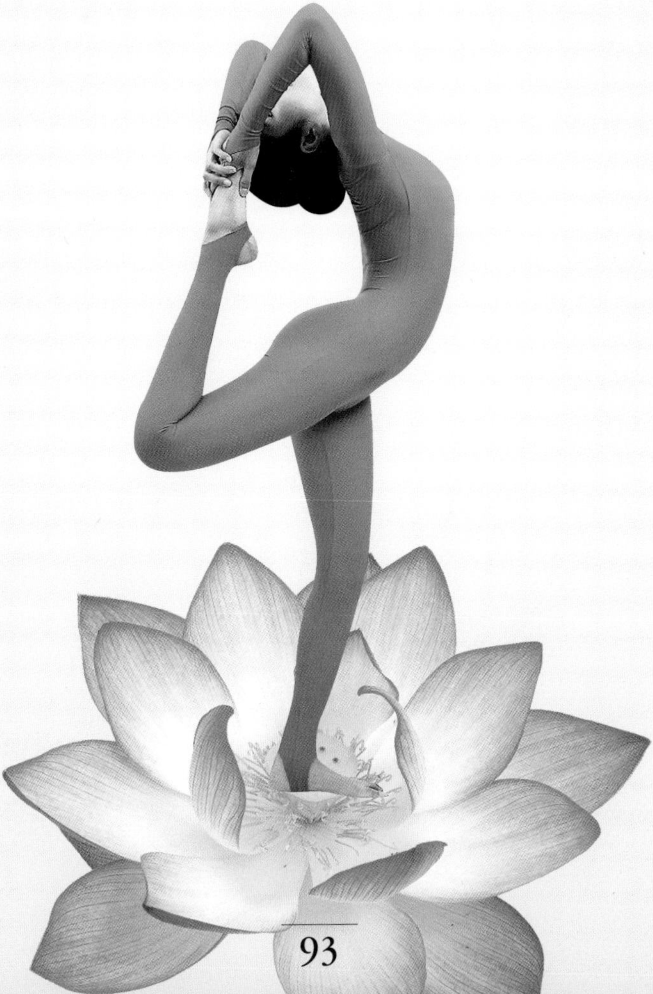

Asana No.088

Vishnu Devanandasana
Vishnu Devanda' s Pose
비슈누 데바난다아사나
비슈누 데반다의 자세

Trikonasana
Triangle Pose(Preparation)
트리코나아사나
삼각자세(준비)

Trikonasana
Triangle Pose
트리코나아사나
삼각자세

삼각형 자세

척추와 몸통 근육을 스트레칭 해주는 효과가 있고 척추 신경과 복부 장기를 튼튼하게 하며, 식욕을 증진시키고 소화를 돕는다. 엉덩이, 척추, 다리의 유연성을 길러준다.

등의 하부의 통증을 없애거나 경감해 주고, 혈액순환을 원활하게 해준다.

둔부 골절, 허벅지 뼈 골절, 무릎사이와 발목 사이의 골절로 인해 한쪽 다리가 짧아진 증상으로 고통 받는 사람에게 특히 유익한 동작이다.

불안감과 심기증을 경감해 주고 준다. 정신적인 스트레스를 경감한다.

비장, 간, 대장, 쓸개, 소장, 심장 경혈에 기의 흐름을 자극한다.

에너지를 꾸준히 공급하고, 다른 아사나에서 시작되는 나디(경혈) 정화 과정에서 최종적인 효과를 발휘한다.

Trikonasana
Triangle Pose(Variation)
트리코나아사나
삼각자세(변형)

Parivrtta Trikonasana
Revolving Triangle Pose(Variation)
파리브르타 트리코나아사나
회전 삼각자세(변형)

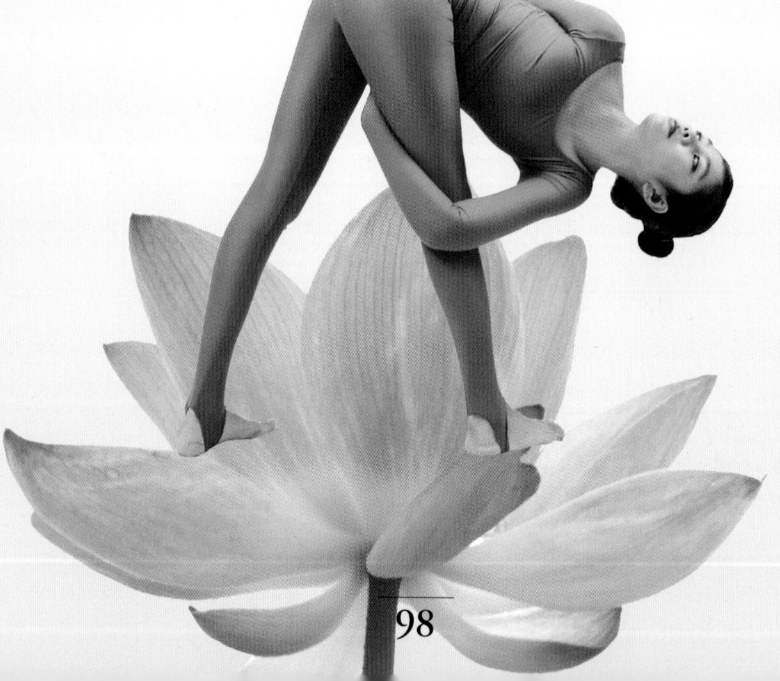

Parivrtta Trikonasana
Revolving Triangle Pose(Variation)
파리브르타 트리코나아사나
회전 삼각자세(변형)

Asana No.094

Parshvottanasana
Side Intense Stretch Pose(Preparation)
파르쉬보타나아사나
측면 집중 스트레칭 자세(준비)

두 손을 등의 척추에 대기 아사나

처진 어깨를 뒤로 활짝 펴서 교정하고, 폐의 용량을 확장하여 Prana 흡수를 최대한 늘린다.

어깨, 팔꿈치, 관절을 자유롭게 회전하여 뻐근함은 사라지게 한다. 엉덩이 관절과 척추를 탄력적으로 만든다. 다리와 엉덩이 근육 강화하고 머리를 무릎위에 얹어 있는 동안 복부기관의 위장, 간장, 비장, 소장, 대장을 수축하고 이완함으로 기능을 한층 강화시킨다. 뇌는 고요하고 신경은 안정되어마음이 편안하다.

Parshvottanasana
Side Intense Stretch Pose
파르쉬보타나아사나
측면 집중 스트레칭 자세

구부리기 자세

척추가 완벽하게 스트레칭 되며 파스치모타나사나의 효과는 매우 단시간에 얻어진다.

팔과 복강 내 기관(장기)가 강해진다.

이 모든 난해하고 어려운 자세들은 단순한 자세들보다 빠른 결과를 가져온다. 복부의 전 기관을 강력하게 마사지하고 소화기관을 자극하여 연동운동을 원활하게 하며 변비와 다른 문제들을 완화해준다. 척추와 좌골 신경통의 압박을 완화하고, 다리 무릎 뒷부분의 오금을 강화하며 스트레칭 효과가 있다.

비만을 막아주며 비장과 간의 확대를 막아준다. 췌장 기능을 조절하며 당뇨나 저혈당증이 있는 사람에게 큰 도움이 된다. 관절을 모으고 요추 염좌의 유연성을 강화시킨다.

중력과 인내력을 향상시키고, 정신과 신경계에 활력을 주고 많은 신경성 불만을 제어한다. 에너지 균형을 가능케 하고, 생명 에너지가 집중될 때 명상이 가능하다.

영원한 "젊음"을 선사한다.

Asana No.096

Parshvottanasana
Side Intense Stretch Pose(Variation)
파르쉬보타나아사나
측면 집중 스트레칭 자세(변형)

Adho Mukha Svanasana
Downward Facing Dong Pose(Variation)
아도 무카 스바나아사나
머리를 아래로 향한 개 자세(변형)

엎드린 개 자세

견갑골 유연, 어깨관절 염증 완화, 발목 근력 강화, 종 돌기 유연, 갱년기의 전신 열감 예방, 활력 있는 충분한 혈액이 뇌에 순환 되어 뇌세포 회춘. 뇌는 고요하고 신경은 안정 되어 심장의 박동은 느려짐. 생리 중 과도한 출혈억제, 갱년기 전신 열감 예방한다.

Asana No.098

Utkatasana
Fierce Pose
우까타아사나
맹수 자세

Utkatasana
Fierce Pose(Variation)
우까타아사나
맹수 자세(변형)

Asana No. 100

Utthita Parshvakonasana
Extended Side Angle Pose
우티타 파르쉬바코나아사나
측면 늘이기 각 자세

삼각자세

척추, 어깨, 팔, 손목 근력 강화, 신체의 무기력을 극복 생기를 주어 회춘에 이르며 뇌의 피로가 회복된다. 매일 반복적으로 시행 100회 이상으로 늘려 나간다.

Parivrtta Parshvakonasana
Revolving Side Angle Pose(Variation)
파리브르타 파르쉬바코나아사나
측면 회전 각 자세

Garudasana
Eagle Pose
가루다아사나
독수리 자세

Vatayanasana
Horse Pose
바타야나아사나
말 자세

Asana No. 104

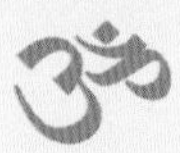

Vatayanasana
Horse Pose(Variation)
바타야나아사나
말 자세(변형)

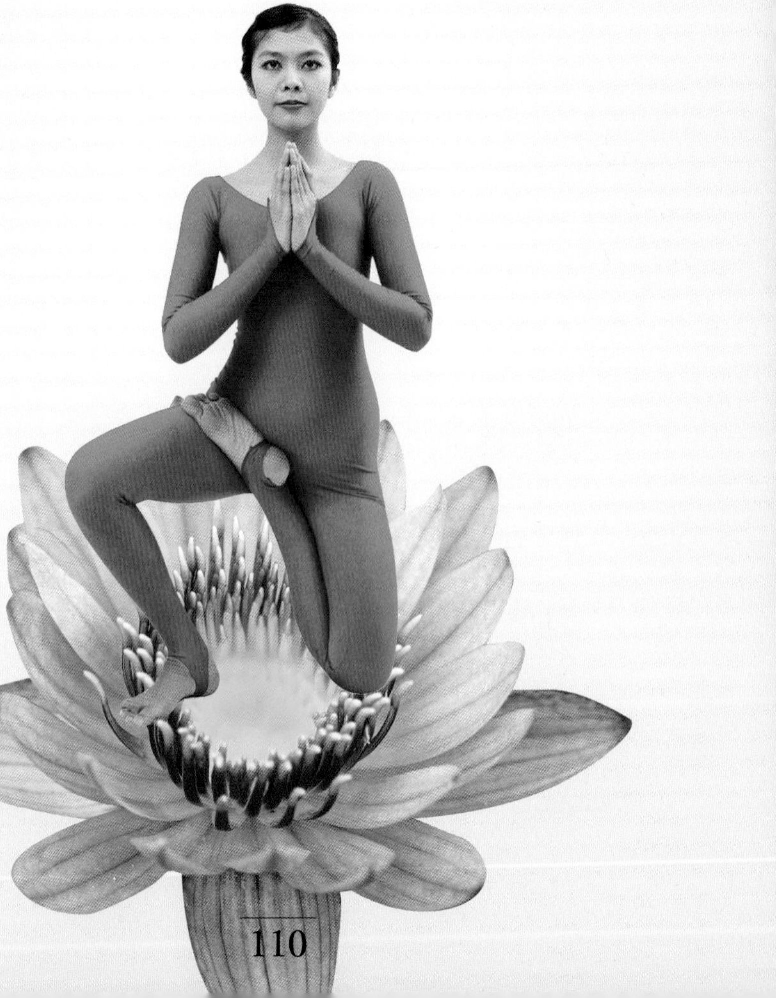

Parighasana
Gate Pose
파리가아사나
빗장 자세

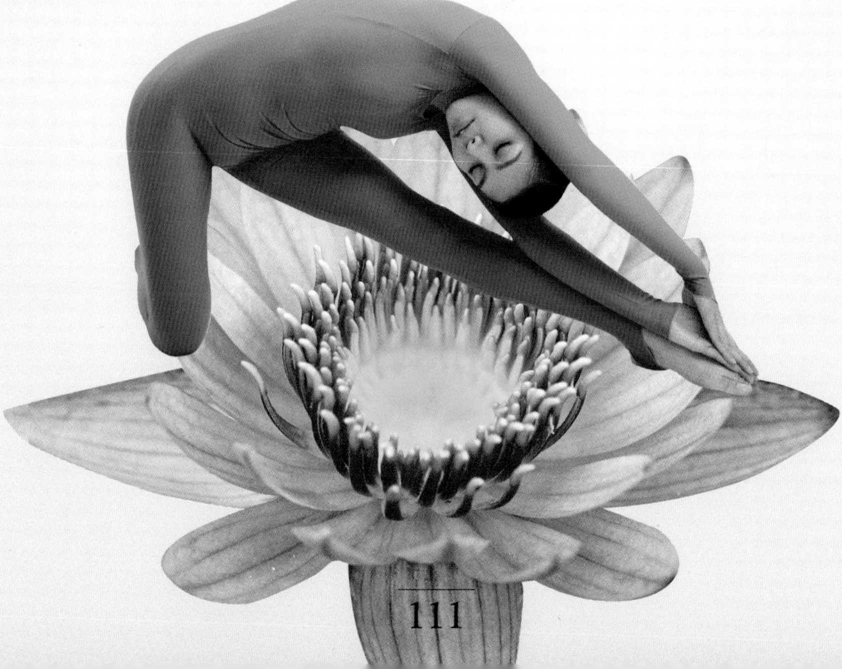

Asana No. 106

Uttanasana
Intense Stretch Pose(Preparation)
우타나아사나
강한 스트레칭 자세(준비)

Uttanasana
Intense Stretch Pose(Variation)
우타나아사나
강한 스트레칭 자세(변형)

앞 굽히기 자세

복통 진정, 간, 비장, 신장 기능을 강화, 생리 기간 동안의 복부의 통증을 완화, 심장은 규칙적으로 천천히 방동, 척추 신경 원기 회복, 반복 아사나로 우울증 치료, 뇌를 고요하게 진정시키기 때문에 조급한 성격으로 빨리 흥분하고 조급한 사람이 차분하고 냉정해지며, 마음은 늘 평화롭다. 또한 척추를 길게 펴게 하는 자세여서 유연성과 탄력성을 높인다. 심지어는 키도 약간 '커지는' 효과가 있다. 전체 신경계에 활력을 제공하고 엉덩이 부분 다리 무릎 뒷부분의 오금줄, 발등과 하체의 근육을 스트레칭해주는 효과가 있다.

골절로 인한 다리 짧아짐을 교정하며 양쪽 다리 길이의 불균형을 바로잡는 효과가 있다. 뇌에 혈액 공급을 원활히 하여 집중력을 대단히 향상시킨며 지적 능력을 자극하여 게으름을 극복하게 한다.

Tamas를 떨침으로써 몸의 빛을 되찾아준다.

Sushumna nadi즉 명상을 유도하는 중추 신경계를 정화하고 강화한다. Apana Vayu -아래쪽으로 흐르는 기운 혹은 원심성 기운을 왕성하게 한다.

Uttanasana

Intense Stretch Pose(Preparation)

우타나아사나

강한 스트레칭 자세(준비)

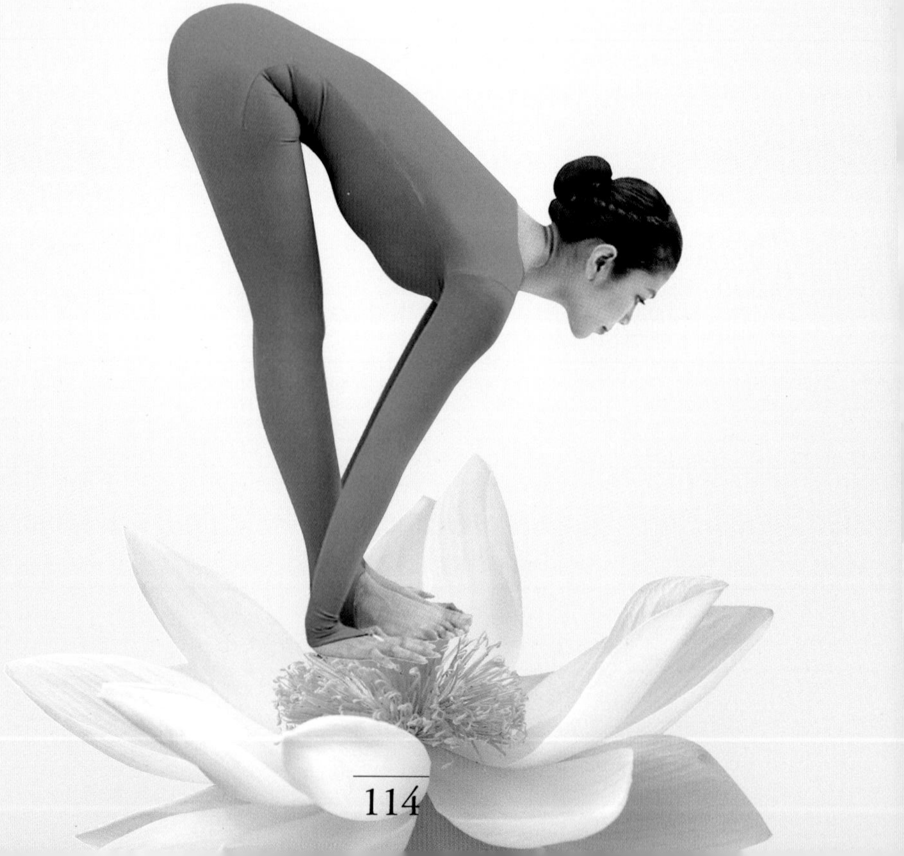

Uttanasana
Intense Stretch Pose
우타나아사나
강한 스트레칭 자세

Asana No. 110

Uttanasana
Intense Stretch Pose
우타나아사나
강한 스트레칭 자세

Asana No. 111

Uttanasana
Intense Stretch Pose(Variation)
우타나아사나
강한 스트레칭 자세(변형)

앞 굽혀 손바닥 땅 대기 자세

복통 진정, 간 비장 신장 기능을 강화, 생리 기간 동안의 복부의 통증을 완화, 심장은 규칙적으로 천천히 방동, 척추 신경 원기 회복, 반복 아사나로 우울증 치료, 뇌를 고요하게 진정시키기 때문에 조급한 성격으로 빨리 홍분하고 조급한 사람이 차분하고 냉정해지며, 마음은 늘 평화롭다.

Uttanasana
Intense Stretch Pose(Variation)
우타나아사나
강한 스트레칭 자세(변형)

Asana No. 113

Uttanasana
Intense Stretch Pose(Variation)
우타나아사나
강한 스트레칭 자세(변형)

Canha Yoga

Asana No. 114

Uttanasana
Intense Stretch Pose(Side View)
우타나아사나
강한 스트레칭 자세(옆모습)

Uttanasana
Intense Stretch Pose/Stork(Variation)
우타나아사나
강한 스트레칭 자세/황새(변형)

Asana No. 116

Uttanasana
Intense Stretch Pose(Variation)
우타나아사나
강한 스트레칭 자세(변형)

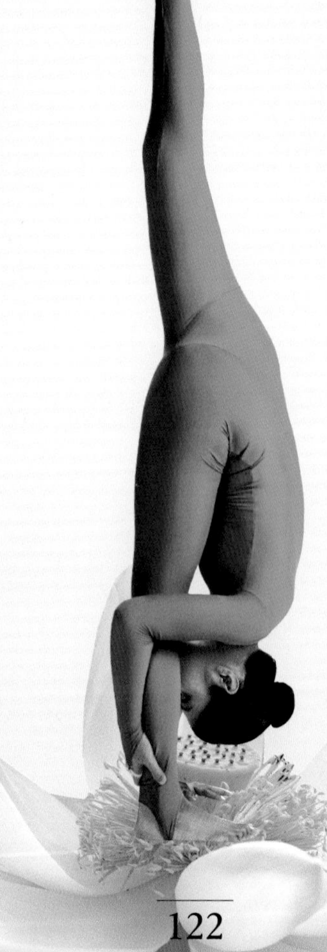

Uttanasana
Intense Stretch Pose(Variation)
우타나아사나
강한 스트레칭 자세(변형)

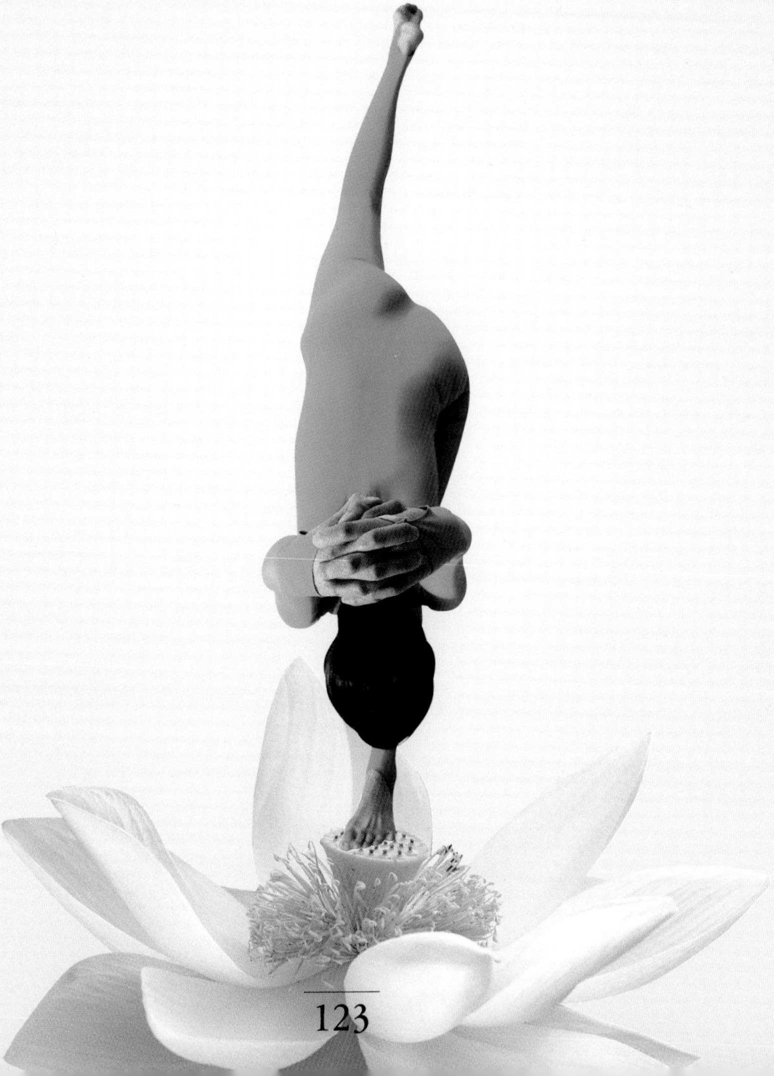

Asana No. 118

Pada Hastasana
Hand Under Foot Pose(Preparation)
파다 하스타아사나
손으로 발 잡기 자세(준비)

Asana No. 119

Pada Hastasana
Hand Under Foot Pose
파다 하스타아사나
손으로 발잡기 자세

Asana No. 120

Parivrtta Uttanasana
Revolving Intense Stretch Pose
파리브르타 우타나아사나
강한 스트레칭 회전 자세

Asana No. 121

Parivrtta Uttanasana
Revolving Intense Stretch Pose(Variation)
파리브르타 우타나아사나
강한 스트레칭 회전 자세(변형)

Asana No. 122

Utthita Tittibhasana
Standing Firefly Pose(Variation)
우티타 티띠바아사나
서서 개똥벌레 자세(변형)

Asana No. 123

Ardha Baddha Padmottanasana
Half-Bound Lotus Intense Stretch Pose
아르다 바드하 파드모따나아사나
반 묶인 연꽃 강한 스트레칭 자세

Asana No. 124

Ardha Baddha Padmottanasana
Half-Bound Lotus Intense Stretch Pose (Variation)
아르다 바드하 파드모따나아사나
반 묶인 연꽃 강한 스트레칭 자세(변형)

Asana No. 125

Ardha Baddha Padmottanasana
Half-Bound Lotus Intense Stretch Pose
아르다 바드하 파드모따나아사나
반 묶인 연꽃 강한 스트레칭 자세

Asana No. 126

Prasarita Padottanasana
Spread Out Leg Intense Stretch Pose (Variation)
프라사리타 파도따나아사나
다리를 벌린 강한 스트레칭 자세(변형)

Asana No. 127

Prasarita Padottanasana
Spread Out Leg Intense Stretch Pose (Variation)
프라사리타 파도따나아사나
다리를 벌린 강한 스트레칭 자세(변형)

Prasarita Padottanasana
Spread Out Leg Intense Stretch Pose (Variation)
프라사리타 파도따나아사나
다리를 벌린 강한 스트레칭 자세(변형)

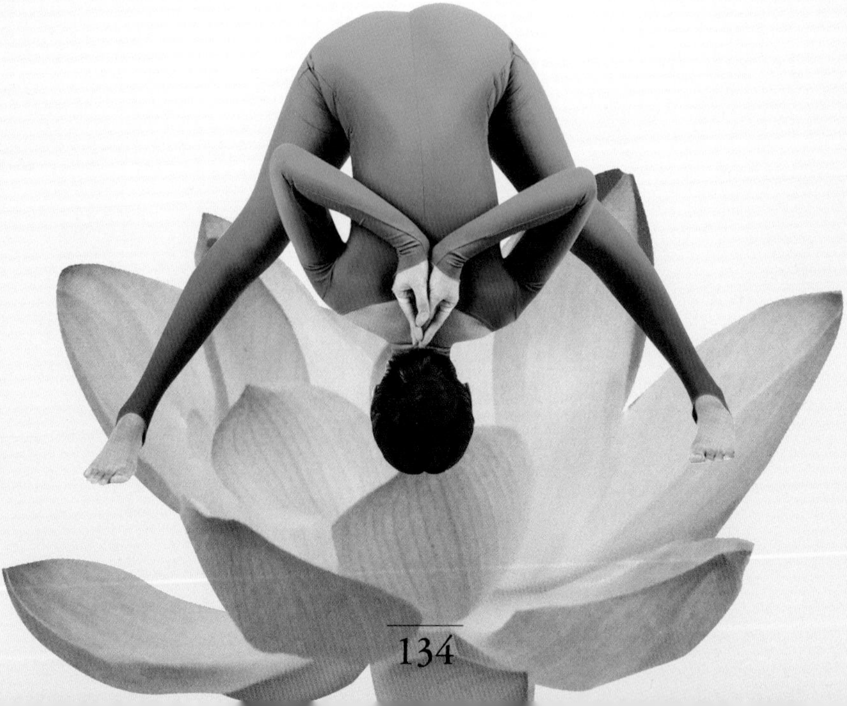

Asana No. 129

Prasarita Padottanasana
Spread Out Leg Intense Stretch Pose (Variation)
프라사리타 파도따나아사나
다리를 벌린 강한 스트레칭 자세(변형)

Asana No. 130

Parivrtta Prasarita Padottanasana
Revolving Spread Out Leg Stretch Pose
파리브르타 프라사리타 파도따나아사나
다리를 벌린 스트레칭 회전 자세

Asana No. 131

Natyasana
Ballet Pose
나티야아사나
발레 자세

Natyasana
Ballet Pose(Variation)
나티야아사나
발레 자세(변형)

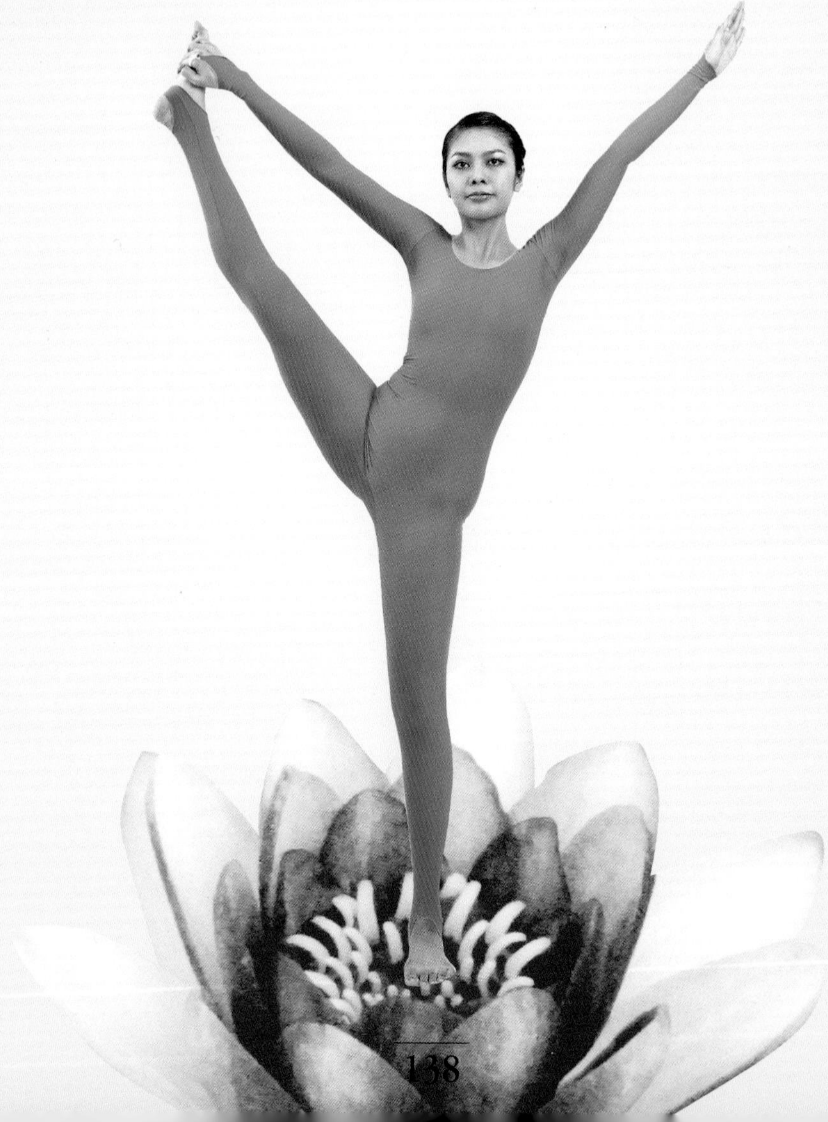

Utthita Hasta Padangushtasana Standing Hand to Big Toe Pose (Preparation)
우티타 하스타 파당구쉬타아사나 서서 손으로 엄지발가락 당기기 자세(준비)

Asana No. 134

Utthita Hasta Padangushtasana
Standing Hand to Big Toe Pose(Variation)
우티타 하스타 파당구쉬타아사나
서서 손으로 엄지발가락 당기기 자세(변형)

Utthita Hasta Padangushtasana
Standing Hand to Big Toe Pose(Variation)
우티타 하스타 파당구쉬타아사나
서서 손으로 엄지발가락 당기기 자세(변형)

Asana No. 136

Utthita Hasta Padangushtasana
Standing Hand to Big Toe Pose(Variation)
우티타 하스타 파당구쉬타아사나
서서 손으로 엄지발가락 당기기 자세(변형)

Asana No. 137

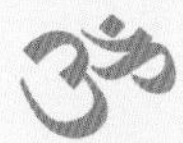

Durvasana
Pose of the Sage Durva(Preparation)
두르바아사나
현인 두르바의 자세(준비)

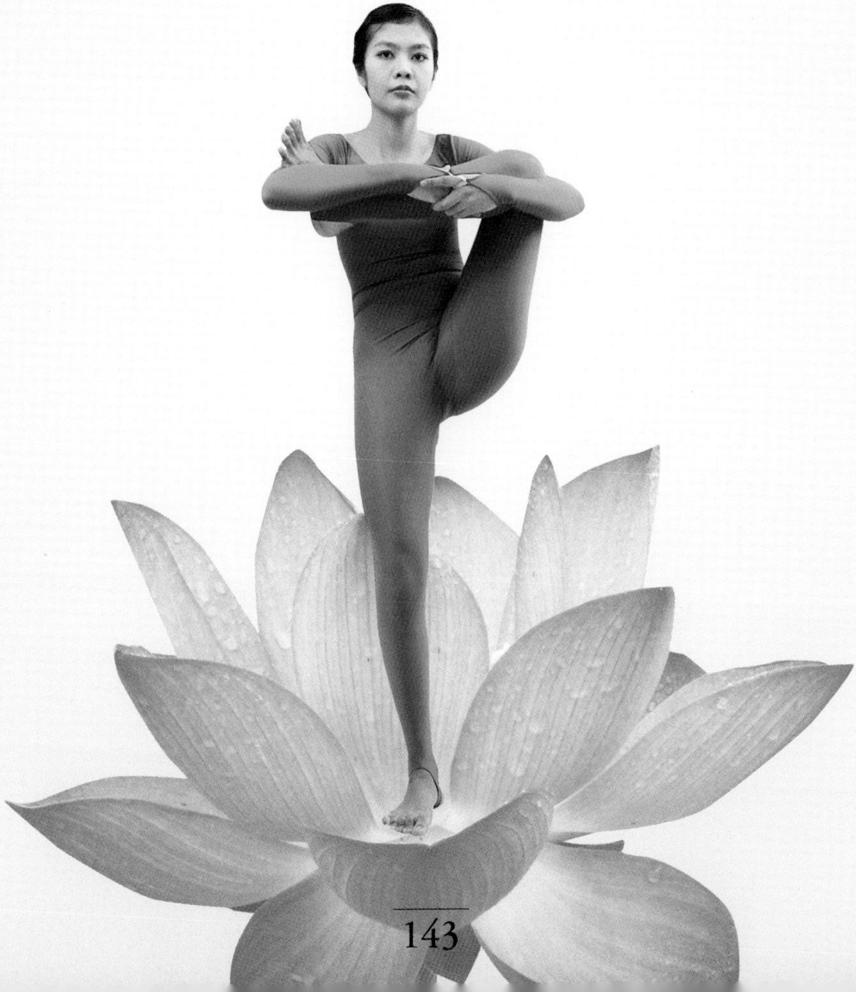

Asana No. 138

Durvasana
Pose of the Sage Durva
두르바아사나
현인 두르바의 자세

Durvasana
Pose of the Sage Durva
두르바아사나
현인 두르바의 자세

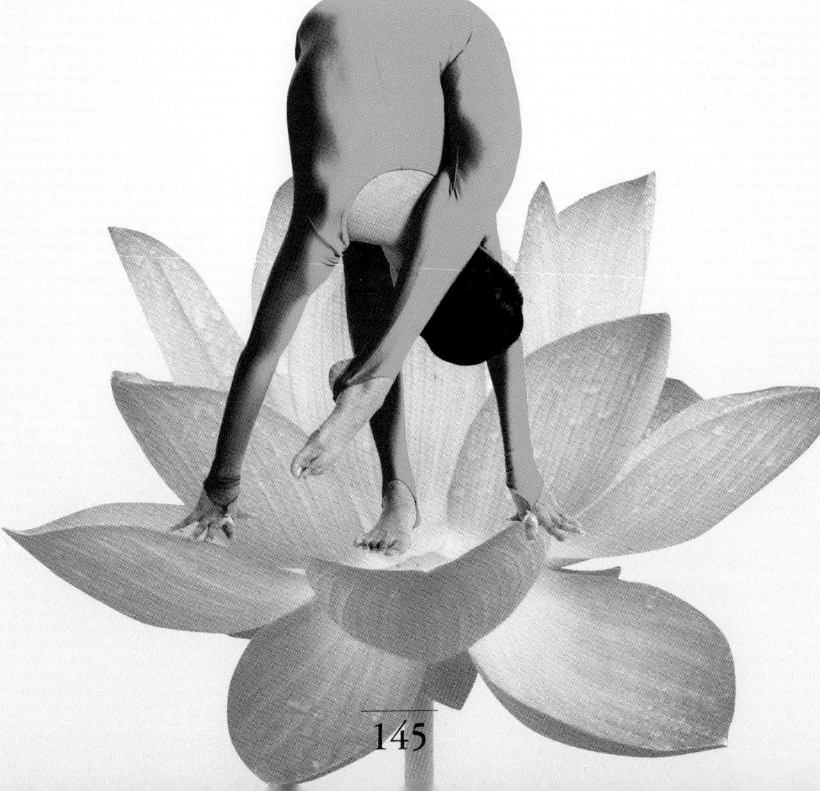

Inversions

머리서기 자세

Asana No. 140

Shashankasana
Hare Pose
샤상카아사나
토끼 자세

Asana No. 141

Shirshasana
Head Stand Pose(Preparation)
쉬르샤아사나
물구나무서기 자세(준비)

- 요가의 꽃, 아사나의 왕 -

머리서기는 "요가의 꽃" 이자, "아사나의 왕" 으로 가장 중요한 자세이다.

머리는 영혼이 거주하는 신전, 정신의 자리, 지혜의 중심, 식별력, 지성과 지식의 저장고, 그리고 신경계와 감각 기관을 통제한다. 그리고 의식과 무의식의 종자가 잠든 곳이다.

인간은 누구나 뇌의 건강 없이는 성공할 수 없다.

우리의 몸은 식별력을 통제하는 사트바(sattva) 특성의 지혜의 중심인 머리, 열정 감정 행동을 통제하는 라자스(rajas)부분의 가슴, 섹스의 흥분과 쾌락, 음주의 즐거움이나 감각적 쾌락을 통제하는 타마스(tamas)부분의 횡격막 이하의 하체로 구성되어 있다.

규칙적인 이 아사나는 맑은 혈액이 뇌세포로 순환 되어 뇌의 원기 회복, 사고력이 증진된다. 스트레스가 만연한 현대인에게 이 아사나는 활력소 역할을 한다. 뇌의 뇌하수체와 송과 선에 충분한 혈액을 공급되어야 원활한 신진사가 이루어져 건강한 체력을 유지할 수 있다.

이 아사나를 규칙적이고 정확하게 수행할 경우 신체가 발달, 올바른 정신, 영혼의 진화, 그리고 고통과 쾌락, 손실과 이익, 수치심과 명성, 패배와 승리에 대해 균형 감각이 발달하게 된다.

Shirshasana
Head Stand Pose(Preparation)
쉬르샤아사나
물구나무서기 자세(준비)

인간은 태고에 네발로 걸었다. 직립보행을 하면서 수평 이었던 척추가 수직으로 되면서 지구의 인력을 견디기 어려워 늘 척추에 무리가 가해진다. 때문에 척추, 목, 관절디스크가 생명활동에 지장을 초래하는 경우가 허다하다. 장기는 밑으로 처지고, 복강내벽의 압력이 높아지면 치질과 탈장이 생기며 나이가 들수록 이마, 눈 밑, 턱, 목에 주름이 지고, 피부의 탈력을 잃어간다. 시력은 약해지고 귀는 둔해진다. 이것은 우리의 신체구조가 지구의 인력을 견디기 못해 생긴 결과이다.

하루에 20분 이상 아사나를 수행하면 늘 젊음을 지속할 수 있다. 노년일수록 이 아사나는 반드시 수행해야한다.

시르사아사나는 몸의 상하, 전후좌우의 균형유지, 전신혈액순환 개선, 헤모글로빈 수치 증가, 사하스라르와 연관된 뇌하수체와 아즈나 차크라와 연관된 송관선의 충분한 혈액공급으로 각종 호르몬 생성 촉진 성장과 건강 그리고 활력을 유지한다. 그리고 기억력과 사고력 증진, 자신감, 원기 회복, 회춘, 노화지연, 심장기능강화, 심계항진(가슴 두근거림)감소, 폐 기능 강화, 불면증 해소, 구취 치유, 감기, 기침, 편도선염 증상완화, 소화촉진, 배설 기능이 강화된다.

Asana No. 143

Shirshasana
Head Stand Pose(Preparation)
쉬르샤아사나
물구나무서기 자세(준비)

Asana No. 144

Shirshasana
Head Stand Pose(Preparation)
쉬르샤아사나
물구나무서기 자세(준비)

Asana No. 145

Shirshasana
Head Stand Pose(Preparation)
쉬르샤아사나
물구나무서기 자세(준비)

Canha Yoga

Shirshasana
Head Stand Pose(Preparation)
쉬르샤아사나
물구나무서기 자세(준비)

Shirshasana
Head Stand Pos
쉬르샤아사나
물구나무서기 자세

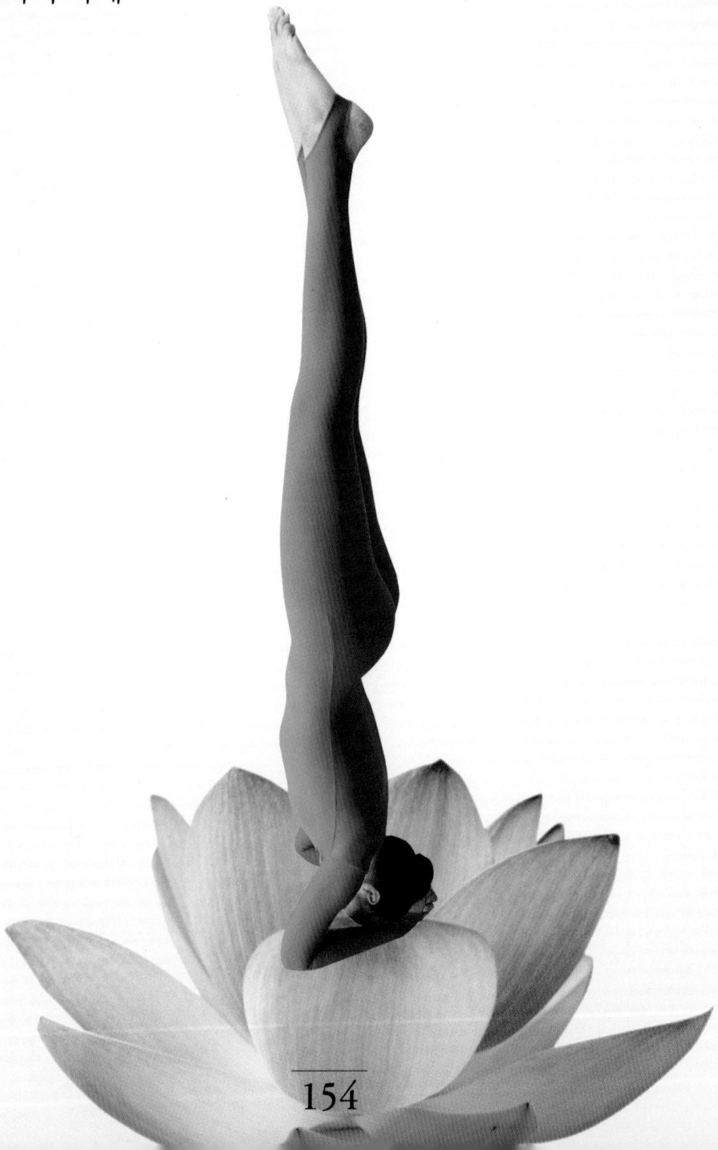

Asana No. 148

Shirshasana
Head Stand Pos
쉬르샤아사나
물구나무서기 자세

Asana No. 149

Parshva Shirshasana
Side Head Stand Pose
파르쉬바 쉬르샤아사나
측면 물구나무서기 자세

Eka Pada Shirshasana
One Leg Head Stand Pose
에카 파다 쉬르샤아사나
한쪽 다리로 물구나무서기 자세

Asana No. 151

Parivrttaikapada Shirshasana
Revolving One Leg Head Stand Pose
파리브르타이카파다 쉬르샤아사나
한쪽 다리로 물구나무서기 회전 자세

Padma Shirshasana
Lotus Pose(Preparation)
파드마 쉬르샤아사나
연꽃 자세(준비)

Padma Shirshasana
Lotus Pose
파드마 쉬르샤아사나
연꽃 자세

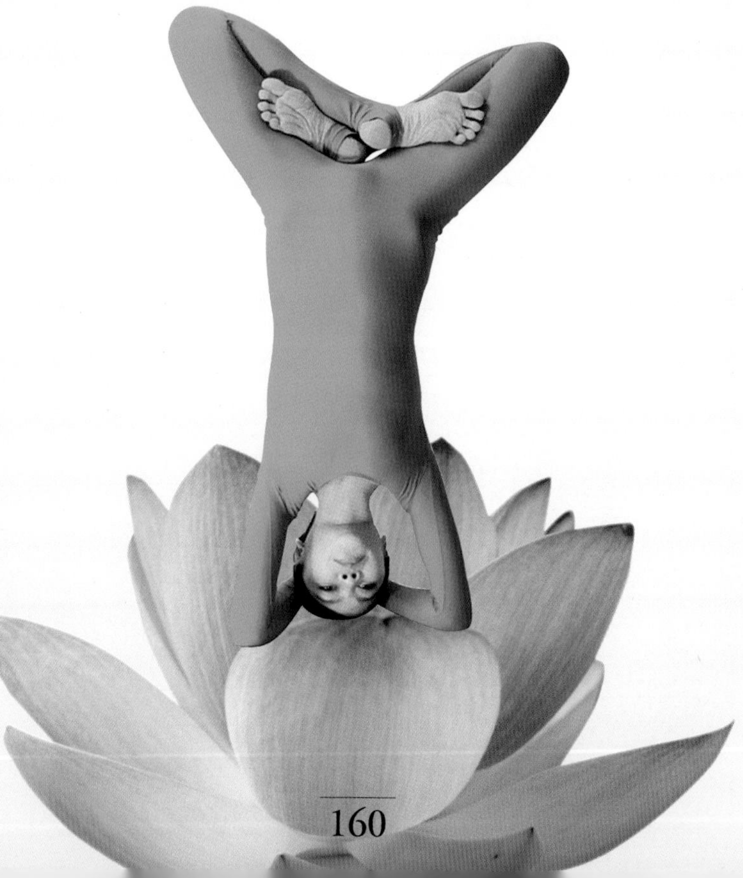

Padma Shirshasana
Lotus Pose(Side View)
파드마 쉬르샤아사나
연꽃 자세(옆모습)

Asana No. 155

Parshva Padma Shirshasana
Side Lotus Head Stand Pose
파르쉬바 파드마 쉬르샤아사나
측면 연꽃 물구나무서기 자세

Pinda Shirshasana
Embryo in Head Stand Pose
핀다 쉬르샤아사나
물구나무서기 태아 자세

Asana No. 157

Shirsha Padasana
Foot to Head Pose(Preparation)
쉬르샤 파다아사나
발이 머리를 향하는 자세(준비)

Shirsha Padasana
Foot to Head Pose
쉬르샤 파다아사나
발이 머리를 향하는 자세

Asana No. 159

Dwi Pada Viparita Dandasana
Both Feet Inverted Staff Pose
드위 파다 비파리타 단다아사나
양발이 뒤바뀐 막대 자세

Mandalasana Parampara Dwi Pada Viparita Dandasana
Circle Pose - Both Feet Inverted Staff Pose
만달라아사나 파람파라 드위 파다 비파리타 단다아사나
원형 자세 - 양발이 뒤바뀐 막대 자세

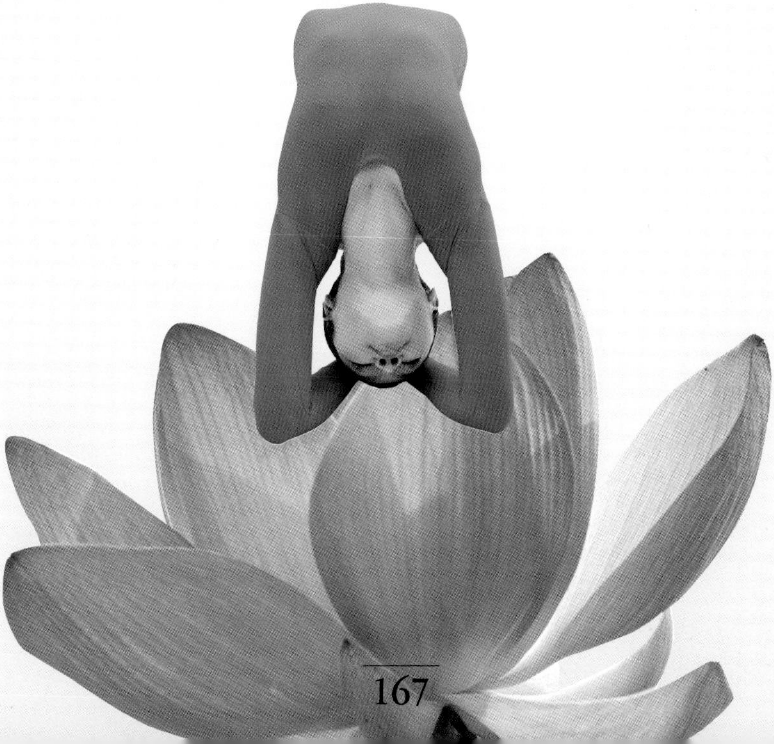

Asana No. 161

Mandalasana Parampara
Circle Pose
만달라아사나 파람파라
원형 자세

Mandalasana Parampara
Circle Pose
만달라아사나 파람파라
원형 자세

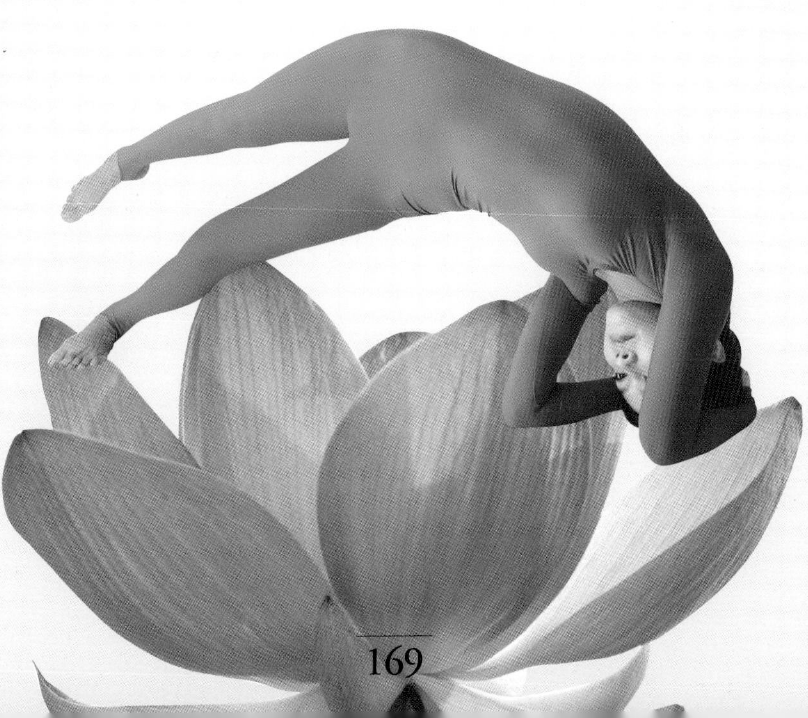

Asana No. 163

Mandalasana Parampara
Circle Pose
만달라아사나 파람파라
원형 자세

Asana No. 164

Mandalasana Parampara
Circle Pose
만달라아사나 파람파라
원형 자세

Asana No. 165

Mandalasana Parampara
Circle Pose
만달라아사나 파람파라
원형 자세

Eka Pada Viparita Dandasan I
One Leg Inverted Staff Pose I
에카 파다 비파리타 단다아사나 I
한발이 뒤바뀐 막대 자세 I

Asana No. 167

Eka Pada Viparita Dandasana I
One Leg Inverted Staff Pose I (Variation)
에카 파다 비파리타 단다아사나 I
한발이 뒤바뀐 막대 자세 I (변형)

Asana No. 168

Baddha Hasta Shirshasana
Bound Hands Head Stand Pose
바드하 하스타 쉬르샤아사나
손이 묶인 물구나무서기 자세

Asana No. 169

Baddha Hasta Padma Shirshasana
Bound Hands Lotus Head Stand Pose
바드하 하스타 파드마 쉬르샤아사나
손이 묶인 연꽃 물구나무서기 자세

Salamba Shirshasana
Supported Head Stand Pose
살람바 쉬르샤아사나
지지된 물구나무서기 자세

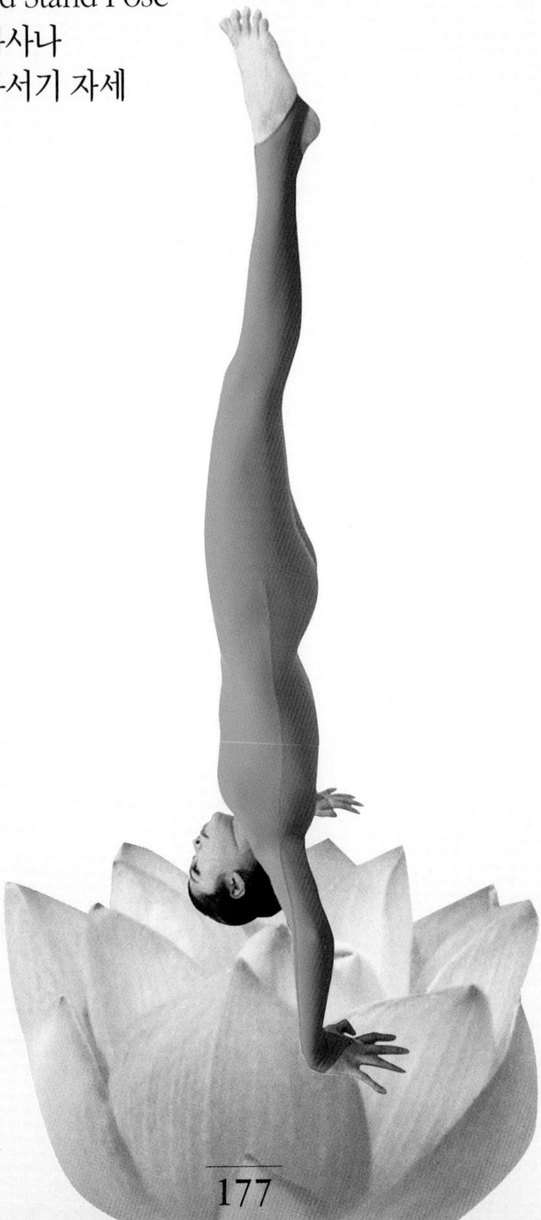

Asana No. 171

Salamba Shirshasana
Supported Head Stand Pose(Front View)
살람바 쉬르샤아사나
지지된 물구나무서기 자세(앞모습)

Salamba Shirshasana
Supported Head Stand Pose(Side View)
살람바 쉬르샤아사나
지지된 물구나무서기 자세(옆모습)

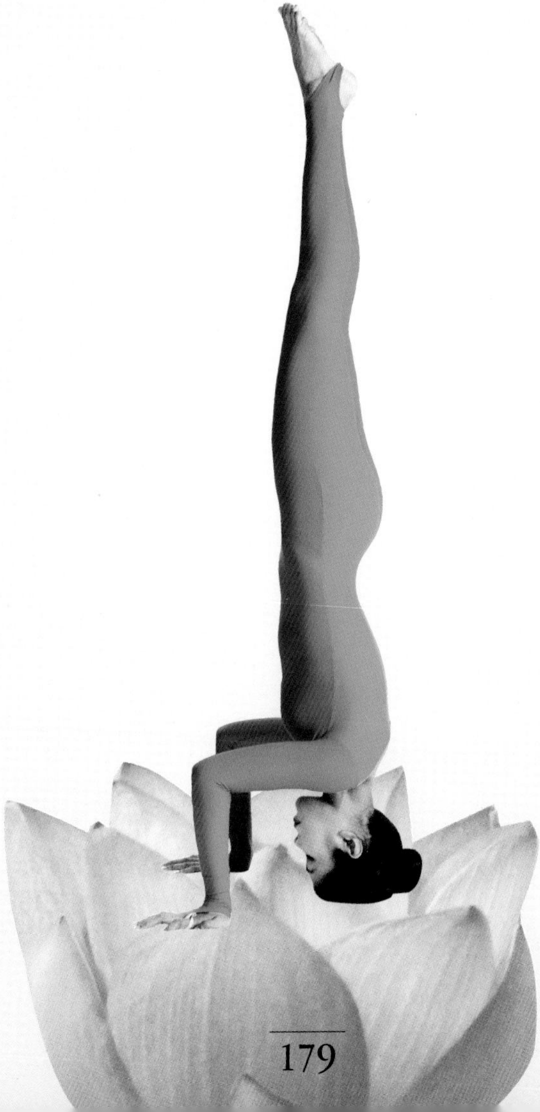

Asana No. 173

Salamba Padma Shirshasana
Supported Lotus Head Stand Pose
살람바 파드마 쉬르샤아사나
지지된 연꽃 물구나무서기 자세

Asana No. 174

Salamba Padma Shirshasana
Supported Lotus Head Stand Pose (Side View)
살람바 파드마 쉬르샤아사나
지지된 연꽃 물구나무서기 자세(옆모습)

Asana No. 175

Ardha Salamba Shirshasana
Supported Half Head Stand Pose
아르다 살람바 쉬르샤아사나
지지된 반 물구나무서기 자세

Eka Pada Salamba Shirshasana
Supported One-Leg Head Stand Pose
에카 파다 살람바 쉬르샤아사나
지지된 한쪽 다리로 물구나무서기 자세

Asana No. 177

Parshva Salamba Shirshasana
Supported Side Head Stand Pose
파르쉬바 살람바 쉬르샤아사나
지지된 측면 물구나무서기 자세

Asana No. 178

Niralamba Shirshasana
Hands-Free Head Stand Pose(Variation)
니라람바 쉬르샤아사나
손을 쓰지 않는 물구나무서기 자세(변형)

Asana No. 179

Niralamba Shirshasana
Hands-Free Head Stand Pose(Variation)
니라람바 쉬르샤아사나
손을 쓰지 않는 물구나무서기 자세(변형)

Niralamba Shirshasana
Hands-Free Head Stand Pose(Variation)
니라람바 쉬르샤아사나
손을 쓰지 않는 물구나무서기 자세(변형)

Asana No. 181

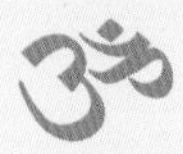

Niralamba Padma Shirshasana
Hands-Free Lotus Head Stand Pose
(Variation)
니라람바 파드마 쉬르샤아사나
손을 쓰지 않는 연꽃 물구나무서기 자세(변형)

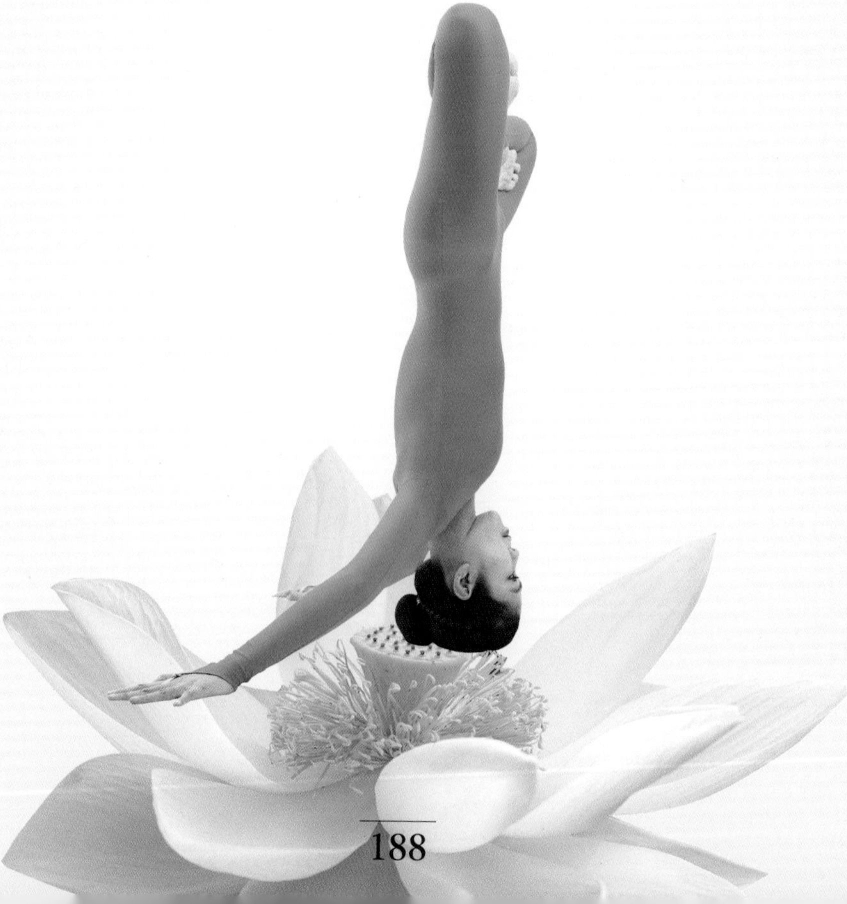

Ado Mukha Vrkshasana
Downward Facing Tree Pose/
Hand Stand(Preparation)
아도 무카 브르크샤아사나
머리를 아래로 향하는 나무 자세/
물구나무서기(준비)

Asana No. 183

Ado Mukha Vrkshasana
Downward Facing Tree Pose/ Hand Stand(Preparation)
아도 무카 브르크샤아사나
머리를 아래로 향하는 나무 자세/ 물구나무서기(준비)

Ado Mukha Vrkshasana
Downward Facing Tree Pose/
Hand Stand(Preparation)
아도 무카 브르크샤아사나
머리를 아래로 향하는 나무 자세/
물구나무서기(준비)

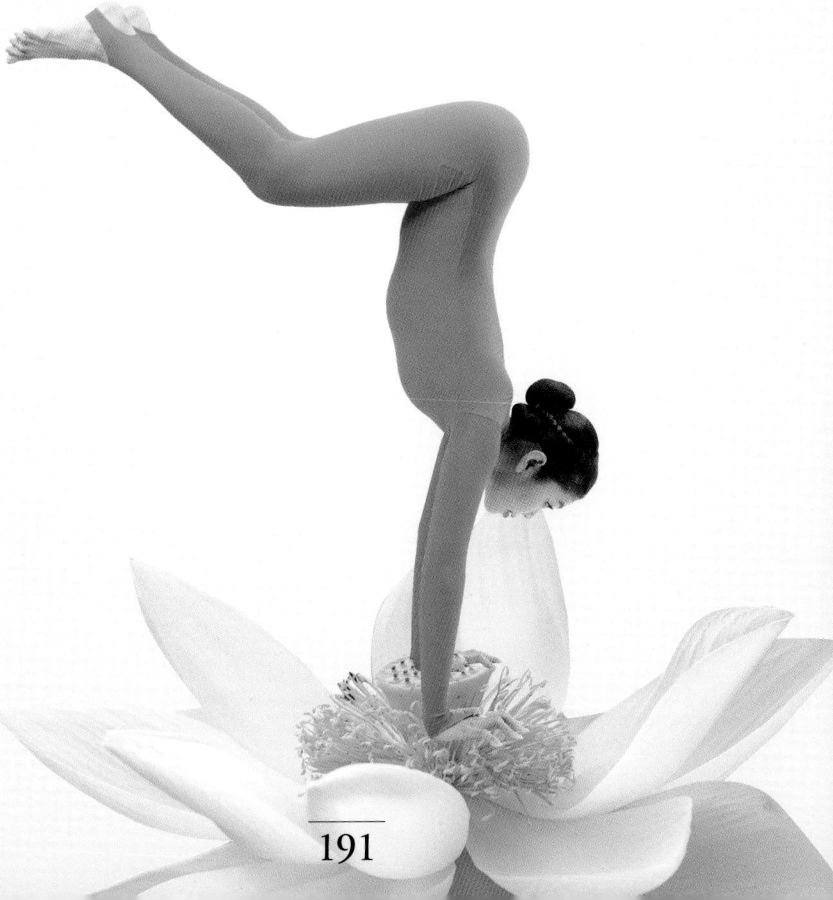

Asana No. 185

Ado Mukha Vrkshasana
Downward Facing Tree Pose/ Hand Stand
아도 무카 브르크샤아사나
머리를 아래로 향하는 나무 자세/ 물구나무서기

Ado Mukha Vrkshasana
Downward Facing Tree Pose/ Hand Stand(Variation)
아도 무카 브르크샤아사나
머리를 아래로 향하는 나무 자세/ 물구나무서기(변형)

Asana No. 187

Ado Mukha Vrkshasana
Downward Facing Tree Pose/
Hand Stand(Variation)
아도 무카 브르크샤아사나
머리를 아래로 향하는 나무 자세/
물구나무서기(변형)

Ado Mukha Vrkshasana
Downward Facing Tree Pose/
Hand Stand(Variation)
아도 무카 브르크샤아사나
머리를 아래로 향하는 나무 자세/
물구나무서기(변형)

Asana No. 189

Eka Hasta Adho Mukha Vrkshasana
Stand Pose
에카 하스타 아도 무카 브르크샤아사나
물구나무서기 자세

Asana No. 190

Eka Hasta Padma Adho Mukha Vrkshasana
Lotus Hand Stand Pose
에카 하스타 파드마 아도 무카 브르크샤아사나
연꽃 물구나무서기 자세

Vrschikasana
Scorpion Pose(Preparation)
브르스치카아사나
전갈 자세(준비)

전갈 자세

폐가 완전히 팽창하는 동안 복부 근육은 스트레칭 되어 장기의 기능은 강화된다. 척추 전체가 활력 있게 진정되며 어깨와 팔은 근력이 늘어난다. 신진대사가 촉진 되어 건강이 유지된다.

머리는 사고와 판단, 창조, 직관과 영감, 파워가 있는 자리인 동시에 흥분, 분노, 질투, 교활, 오만, 증오 등, 전갈의 독침처럼 악의 자리이기도 하다.

현명한 요가(Yoga)는 머리를 발로 차는 수행을 통해 스스로를 파괴하는 이러한 감정과 격노를 근절하고자 한다. 그리하여 겸손, 인내, 평온을 통하여 자아로부터 해방이 평화와 행복으로 이어진다.

Vrschikasana II
Scorpion Pose
브르스치카아사나 II
전갈 자세

Asana No. 193

Eka Pada Vrschikasana
One-Leg Scorpion Pose
에카 파다 브르스치카아사나
한쪽 다리를 이용한 전갈 자세

Ardha Vrschikasana
Half Scorpion Pose
아르다 브르스치카아사나
반 전갈 자세

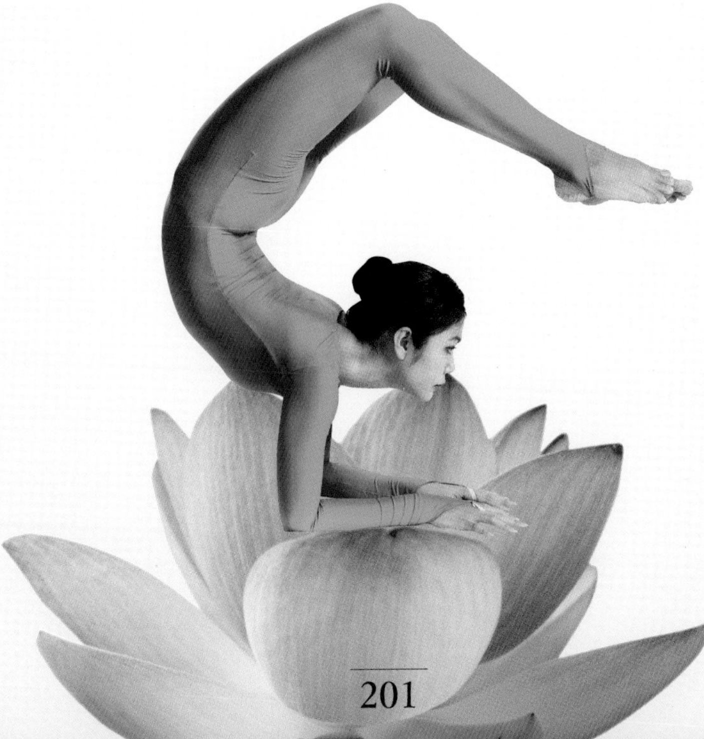

Asana No. 195

Vrschikasana
Charging Scorpion Pose(Variation)
브르스치카아사나
돌격하는 전갈 자세(변형)

Vrschikasana
Charging Scorpion Pose(Variation)
브르스치카아사나
돌격하는 전갈 자세(변형)

Asana No. 197

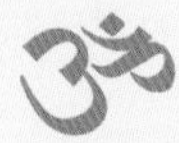

Padma Vrschikasana
Lotus Scorpion Pose(Side View)
파드마 브르스치카아사나
연꽃 전갈 자세(옆모습)

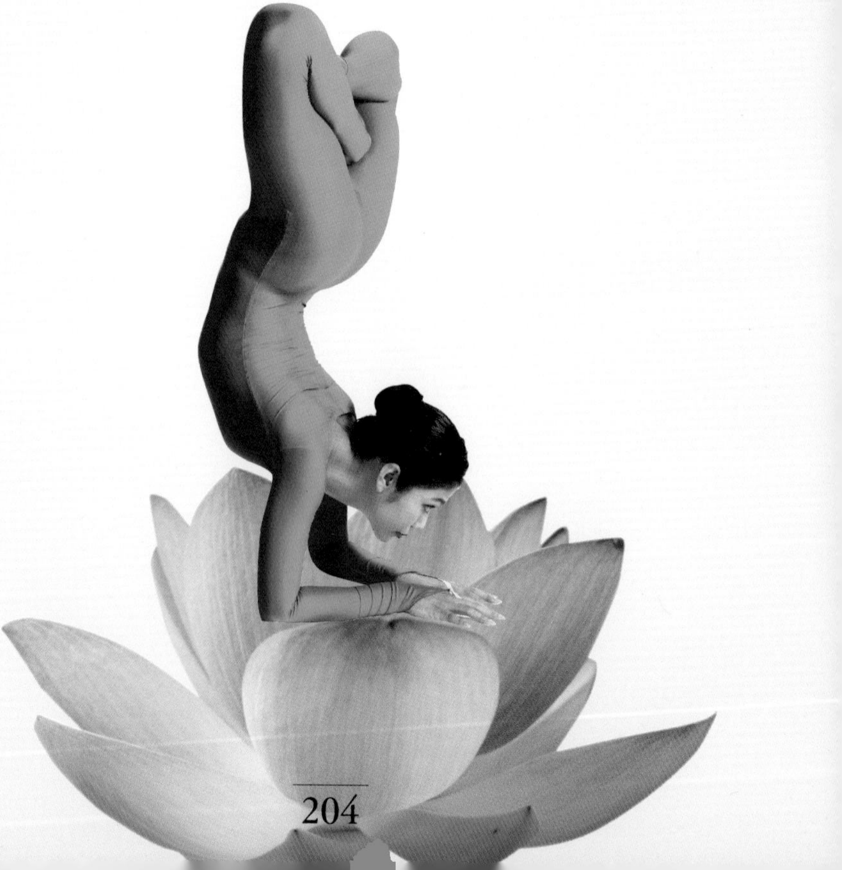

Padma Vrschikasana
Lotus Scorpion Pose(Front View)
파드마 브르스치카아사나
연꽃 전갈 자세(앞모습)

Asana No. 199

Pincha Mayurasana
Peacock Feather Pose
핀차 마유라아사나
공작 깃털 자세

Chakra Bandhasana
Bound Wheel Pose(Preparation)
차크라 반다아사나
묶인 바퀴 자세(준비)

묶인 바퀴 자세

이 자세는 7개의 차크라를 자극하여 이디와 핑갈라 나디의 균형을 이루어 수슘나 나디에 영적에너지가 흐르도록 돕는다.
1. 물라다라차크라(Muladhara Chakra)
2. 스와디스타나(SwadhisChakra)
3. 마니푸라(Manipura Chakra)
4. 아나하타 차크라 (Anahata Chakra)
5. 비슈다차크라(VishudhaChakras)
6. 아즈나차크라(AjnanaChakra)
7. 사하스라르(Sahasrara Chakra)이다.
직장, 신장, 목과 눈의 기능은 강화되고, 부신을 건강하게 만든다.

Asana No. 201

Chakra Bandhasana
Bound Wheel Pose
차크라 반다아사나
묶인 바퀴 자세

Ardha Sarvangasana
Half Shoulder Stand Pose
아르다 사르방가아사나
어깨 서기 자세

어깨서기

아사나의 어머니로 대단히 중요한 자세이다. 이 아사나는 대부분의 흔한 증상에 만병통치약이다.

뇌하수체 호르몬은 내분비계 (송과 선, 갑상선, 부갑상선, 취장, 부신, 생식선) 전체를 조절하는 역할을 한다. 이러한 신체기관에서 호르몬을 혈액내로 분비하면 호르몬이 혈액을 타고 목표 장기로 이동하여 효과를 나타낸다. 호르몬은 종족보존이라는 생물의 기본적 기능과 직접 결부되어 있다. 신체와 뇌의 균형과 발달 및 원활한 기능은 혈액 속에 존재하며, 혈액으로부터 영양분을 흡수하고 호르몬을 분비한다. 호르몬이 제대로 생성되지 않으면 신체는 약화되기 시작한다. 이 자세는 내분비선에 직접적인 영향을 주어 정상적으로 작동할 수 있도록 한다. 뇌하수체는 요가에서 언급하는 사하스라르-차크라(Sahasrara-chakra)다.

일천 개의 연꽃잎이 개화된 사하스라르-차크라에 우주적 정기인 감로(甘露)가 맺힌다. 요가 생리학에서는 감로를 젊음을

Sarvangasana
Shoulder Stand Pose
사르방가아사나
어깨 서기 자세

유지시키는 호르몬으로 보며 이것을 소마(Soma)라 부른다. 이 감로가 끊임없이 배꼽주위의 태양신경총 마니푸라-차크라(Manipra-chakra)에 떨어져 타버리기 때문에 인간은 늙어 죽는 것이다. 어깨서기할 때, 목의 힘줄을 힘껏 당겨 턱을 가슴에 부치고 혀를 입천장 깊숙이 밀어붙이는 것이 비파리타카라니-무드라(Viparitakarani-mudra)로, 감로가 마니푸라로 떨어지기 전 연구개의 끝을 혀끝으로 막으면 감로가 태양신경총으로 떨어지기 전 목에서 재 흡수하는 역할을 한다.

이 자세는 갑상선과 부갑상선에 활력을 주며, 신체는 전도되기 때문에 정맥의 혈액은 중력에 의해 아무런 부담 없이 심장으로 흘러 들어간다. 건강한 피가 뇌와 목 가슴에서 순환된다.

노화란 육체가 필요로 하는 호르몬을 질적으로 양적으로 재 공급해주지 못하는 현상이다. 호르몬이 고갈되면 몸은 작아지고 마르며, 관절은 약해지며, 혈액의 용량은 줄고, 골다공증으로 뼈는 약해진다.

Sarvangasana
Shoulder Stand Pose
사르방가아사나
어깨 서기 자세

피부는 광택이 없이 거칠어지고. 기억력, 시력 ,청력, 정력, 분별을 떨어진다. 담은 줄어들어 용맹의 기상은 간데온데없다.

이 아사나를 지속하면 육체내의 독소가 사라져 활력이 넘치는 새로운 생명이 흘러들어올 것이며, 뇌는 고요하고 마음은 평화로우며, 삶의 즐거움과, 자신감은 물론 노화를 지연시킬 수 있다. 특히 오랜 질병 후 이 좌법을 하루에 두 번씩 규칙적으로 수행하면 잃어버린 활력을 찾을 수 있다.

규칙적인 수행은 맑은 혈액이 뇌세포로 흘러 뇌하수체에 활력을 유지토록 한다. 순환계 소화계 기능이 개선, 신체의 성장 발달, 신진대사와 항상성을 유지. 신경 안정으로 만성두통, 긴장, 짜증, 신경쇄약, 불면증 치유. 원기부족, 빈혈, 심계항진(가슴 두근거림) 천식, 기관지염, 식도염, 간질, 코막힘 감기, 위장염, 위궤양, 대장염, 변비, 치질, 탈장, 자궁근종. 난소 낭 종, 예방, 생리통, 생리불순완화, 배뇨 기능 등이 개선되거나 치유된다.

Asana No. 205

Sarvangasana
Shoulder Stand Pose(Variation)
사르방가아사나
어깨 서기 자세(변형)

Asana No. 206

Sarvangasana
Shoulder Stand Pose(Variation)
사르방가아사나
어깨 서기 자세(변형)

Asana No. 207

Sarvangasana
Shoulder Stand Pose(Variation)
사르방가아사나
어깨 서기 자세(변형)

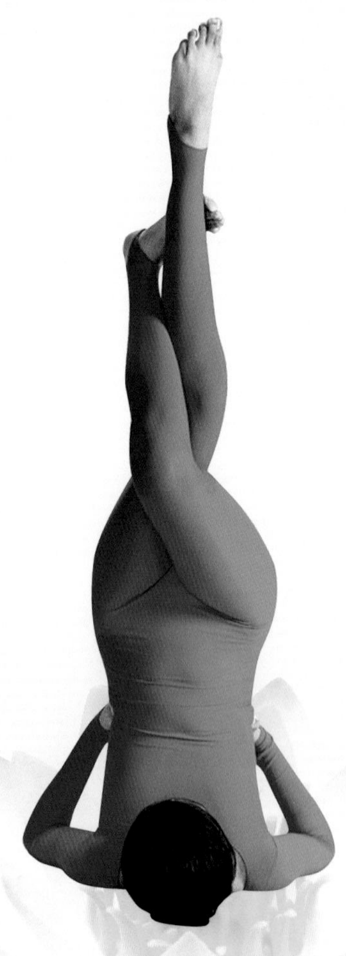

Asana No. 208

Salamba Sarvangasana
Supported Shoulder Stand Pose
살람바 사르방가아사나
지지된 어깨 서기 자세

Asana No. 209

Niralamba Sarvangasana I
Unsupported Shoulder Stand Pose I
니라람바 사르방가아사나 I
지지 없는 어깨 서기 자세 I

Niralamba Sarvangasana II
Unsupported Shoulder Stand Pose II
니라람바 사르방가아사나 II
지지 없는 어깨 서기 자세 II

Asana No. 211

Parshva Sarvangasana
Side Shoulder Stand Pose
파르쉬바 사르방가아사나
측면 어깨 서기 자세

Asana No. 212

Setu Bandha Sarvangasana
Bridge Shoulder Stand Pose(Preparation)
세투 반다 사르방가아사나
다리 모양으로 어깨 서기 자세(준비)

Asana No. 213

Setu Bandha Sarvangasana
Bridge Shoulder Stand Pose(Preparation)
세투 반다 사르방가아사나
다리 모양으로 어깨 서기 자세(준비)

Setu Bandha Sarvangasana
Bridge Shoulder Stand Pose(Preparation)
세투 반다 사르방가아사나
다리 모양으로 어깨 서기 자세(준비)

Asana No. 215

Setu Bandha Sarvangasana
Bridge Shoulder Stand Pose(Preparation)
세투 반다 사르방가아사나
다리 모양으로 어깨 서기 자세(준비)

Setu Bandha Sarvangasana
Bridge Shoulder Stand Pose
세투 반다 사르방가아사나
다리 모양으로 어깨 서기 자세

Asana No. 217

Eka Pada Setu Bandha Sarvangasana
One-Leg Bridge-Forming Pose
에카 파다 세투 반다 사르방가아사나
한쪽 다리로 다리 모양 만들기 자세

Padma Sarvangasana
Lotus Shoulder Stand Pose
파드마 사르방가아사나
연꽃 어깨 서기 자세

Asana No. 219

Padma Sarvangasana
Lotus Shoulder Stand Pose
파드마 사르방가아사나
연꽃 어깨 서기 자세

Urdhva Padmasana
Upward Lotus Pose
우르드바 파드마아사나
위를 향한 연꽃 자세

Asana No. 221

Parshva Padma Sarvangasana
Side Lotus Shoulder Stand Pose
파르쉬바 파드마 사르방가아사나
측면 연꽃 어깨 서기 자세

Padma Mayurasana
Lotus Peacock Pose(Preparation)
파드마 마유라아사나
연꽃 공작 자세(준비)

공작 자세

위장. 비장, 간장의 기능은 향상되며, 인체에 독소가 쌓이는 것을 방지한다. 혈당이 높은 당뇨환자의 증상은 원화한다. 팔꿈치, 팔뚝, 손목이 발달하고 강화된다. 마니푸라 차크라(Manipura Chakra)를 각성시키는 아사나이다.

팔꿈치 압박이 소화기 계통의 모든 부위를 마사지해주어 위장, 간, 창자가 생기와 활력을 찾는다. 소화불량, 변비, 당뇨병, 치핵 같은 장,단기 문제들을 완화해준다.

팔, 손목 근육을 강화하고 유연성을 발달시키며 반복성 긴장 장애를 치유한다.

신체의 균형과 바른 자세 그리고 신적인 균형감, 집중력, 결단력을 길러준다. 무기력을 없애고 일반적인 약함, 허약한 느낌을 제거해준다.

팔목의 자세는 기의 흐름을 자극하고 원활히 하여 비장, 신장, 심장, 폐, 소장, 심낭 경혈을 튼튼하게 한다.

Kundalini Shakti(충만한 정신적 잠재력)을 일깨운다. 많은 정신 장애를 완화해준다.

Asana No. 223

Padma Mayurasana
Lotus Peacock Pose
파드마 마유라아사나
연꽃 공작 자세

Asana No. 224

Halasana
Plough Pose(Preparation)
할라아사나
쟁기 자세(준비)

쟁기자세

척추를 수평으로 이동하여 탄력을 강화, 장의 활발한 연동운동으로 배출 촉진, 대장에 숙변의 축적을 방지, 독소의 원활한 배출, 정신은 맑아지고 마음은 안정되며 장의 연동운동을 극대화시켜 만성변비를 치유한다.

Asana No. 225

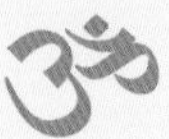

Halasana
Plough Pose
할라아사나
쟁기 자세

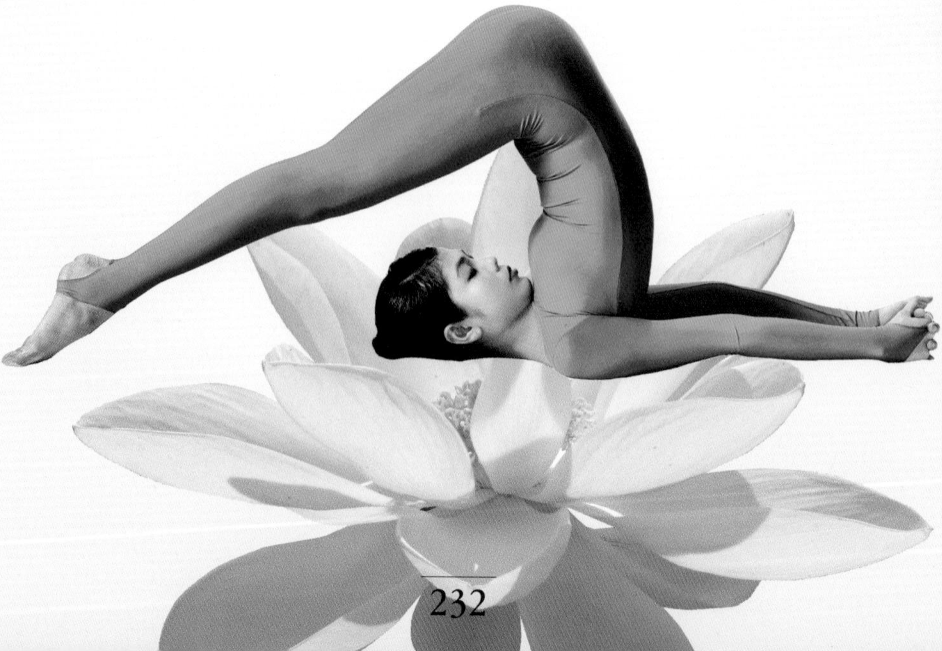

Halasana
Plough Pose
할라아사나
쟁기 자세

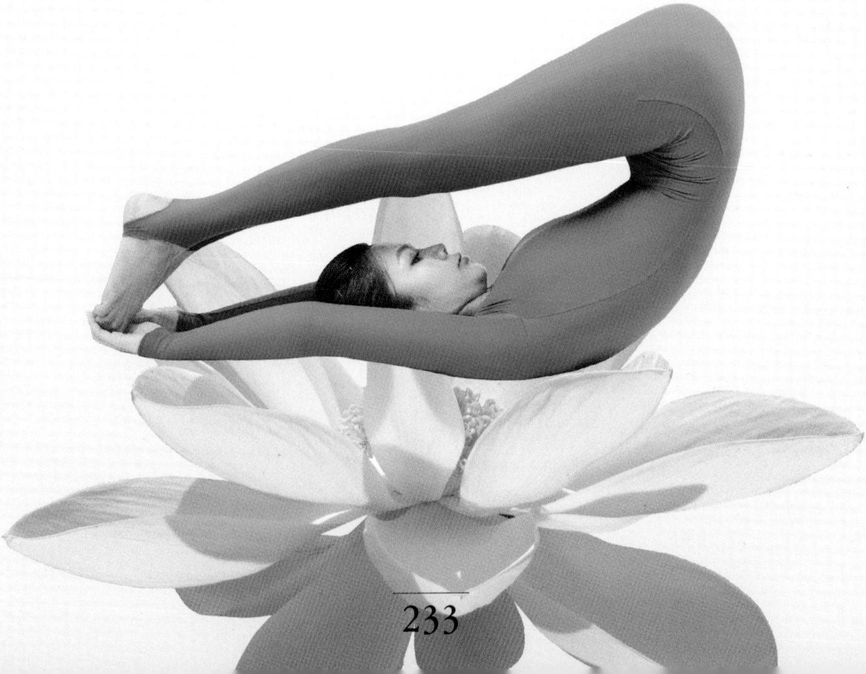

Asana No. 227

Halasana
Plough Pose
할라아사나
쟁기 자세

Parshva Halasana(Variation)
Side Plough Pose
파르쉬바 할라아사나
측면 쟁기 자세(변형)

Asana No. 229

Karna Pidasana
Ear Pressure Pose
카르나 피다아사나
귀 압박 자세

Asana No. 230

Supta Konasana
Reclining Angle Pose
숩타 코나아사나
누운 각 자세

Asana No. 231

Supta Konasana
Reclining Angle Pose(Variation)
숩타 코나아사나
누운 각 자세(변형)

Salamba Pindasana
Supported Embryo Pose
살람바 핀다아사나
지지된 태아 자세

태아자세

목의 힘줄을 힘껏 당겨 턱을 가슴에 붙이고 혀를 입천장 깊숙이 밀어붙이는 것이 비파리타카라니-무드라(Viparitakarani-mudra)로 사하스라에서 흘러나온 감로가 마니푸라로 떨어져 타버리기 전, 연구개의 끝을 혀끝으로 막으면 감로가 흐르지 않아 목에서 재흡수 하는 역할을 한다.

이 감로는 젊음을 유지시키는 호르몬으로 암브로시아(Ambrosia)라 부른다.

갑상선 부갑상선 기능이 개선되고, 척추를 유연해지, 복부의 심한 통증을 해소하며, 다리를 꼬게 되면 복부와 결장에 동일한 압력을 주어 만성 변비를 해소한다.

Asana No. 233

Pindasana
Embryo Pose
핀다아사나
태아 자세

Parshva Pindasana
Side Embryo Pose
파르쉬바 핀다아사나
측면 태아 자세

Asana No. 235

Janu Shirshasana
Head to Knee Pose(Preparation)
자누 쉬르샤아사나
머리가 무릎을 향하는 자세(준비)

Janu Shirshasana
Head to Knee Pose(Preparation)
자누 쉬르샤아사나
머리가 무릎을 향하는 자세(준비)

Asana No. 237

Janu Shirshasana
Head to Knee Pose
자누 쉬르샤아사나
머리가 무릎을 향하는 자세

Asana No. 238

Janu Shirshasana
Head to Knee Pose(Variation)
자누 쉬르샤아사나
머리가 무릎을 향하는 자세(변형)

Asana No. 239

Chalanasana
Churning Pose
찰라나아사나
맷돌 돌리기 자세

Parivrtta Janu Shirshasana
Revolving Head to Knee Pose
파리브르타 자누 쉬르샤아사나
머리가 무릎을 향하는 회전 자세

Asana No. 241

Parivrtta Janu Shirshasana
Revolving Head to Knee Pose(Variation)
파리브르타 자누 쉬르샤아사나
머리가 무릎을 향하는 회전 자세(변형)

Maha Mudra
Powerful Seal
마하 무드라
강한 봉인

Asana No. 243

Ardha Baddha Padma Paschimatanasana
Half-Bound Lotus Back Stretch Pose (Preparation)
아르다 바드하 파드마 파스치마타나아사나
반 묶인 연꽃 허리 스트레칭 자세(준비)

Asana No. 244

Ardha Baddha Padma Paschimatanasana
Half-Bound Lotus Back Stretch Pose
아르다 바드하 파드마 파스치마타나아사나
반 묶인 연꽃 허리 스트레칭 자세

Asana No. 245

Trianga Mukhaikapada Paschimatanasana
Three-Limbed Facing
One-Foot Back Stretch Pose
트리앙가 무카이카파라 파스치마타나아사나
사지의 세 부분이 한 발을 향하는
허리 스트레칭 자세

Marichyasana I
Pose of the Sage Marichi I (Preparation)
마리챠아사나 I
현인 마리치의 자세 I (준비)

Asana No. 247

Marichyasana I
Pose of the Sage Marichi I
마리챠아사나 I
현인 마리치의 자세 I

Marichyasana I
Pose of the Sage Marichi I (Variation)
마리챠아사나 I
현인 마리치의 자세 I (변형)

Asana No. 249

Marichyasana II
Pose of the Sage Marichi II
(Preparation, Front View)
마리챠아사나 II
현인 마리치의 자세 II (준비, 앞모습)

Marichyasana II
Pose of the Sage Marichi II (Preparation, Rear View)
마리챠아사나 II
현인 마리치의 자세 II (준비, 뒷모습)

Asana No. 251

Marichyasana II
Pose of the Sage Marichi II
마리챠아사나 II
현인 마리치의 자세 II

Asana No. 252

Paschimatanasana
Back Stretch Pose(Preparation)
파스치마타나아사나
허리 스트레칭 자세(준비)

Asana No. 253

Pachimatanasana
Back Stretch Pose
파스치마타나아사나
허리 스트레칭 자세

Asana No. 254

Pachimatanasana
Back Stretch Pose
파스치마타나아사나
허리 스트레칭 자세

Asana No. 255

Pachimatanasana
Back Stretch Pose
파스치마타나아사나
허리 스트레칭 자세

등을 강하게 뻗는 자세

소화기능과 신장 기능을 개선. 척추를 곧게 수직으로 펴서 심장이 척추보다 아래에 위치하도록 하여 척추전체의 원기를 회복.

심장의 마사지, 뇌는 고요하고 마음은 안정. 척추와 골반을 더 늘리기 때문에 생식선에 활력이 증가, 발기 부전 치료, 여성 생식계 활력, 이 자세를 매일 수행하면 성욕을 자유자제로 조절할 수 있다.

Parivrtta Pachimatanasana
Revolving Back Stretch Pose
파리브르타 파스치마타나아사나
회전하는 허리 스트레칭 자세

Parivrtta Pachimatanasana
Revolving Back Stretch Pose(Variation)
파리브르타 파스치마타나아사나
회전하는 허리 스트레칭 자세(변형)

Skandasana
Pose of the Lord Skanda
스칸다아사나
스칸다 신의 자세

Asana No. 259

Urdhva Mukha Paschimatanasana II
Upward Facing Back Stretch Pose II (Preparation)
우르드바 무카 파스치마타나아사나 II
위를 향한 허리 스트레칭 자세 II (준비)

Urdhva Mukha Paschimatanasana II
Upward Facing Back Stretch Pose II
우르드바 무카 파스치마타나아사나 II
위를 향한 허리 스트레칭 자세 II

Purvatanasana
Front Stretch Pose
푸르바타나아사나
앞쪽 스트레칭 자세

Sukha Matsyasana
Easy Fish Pose(Preparation)
수카 마츠야아사나
쉬운 물고기 자세(준비)

물고기 자세

목, 흉부, 요추 부위의 뻣뻣함을 제거하여 이 부위의 신경 자극과 혈액순환을 개선한다.

어깨와 목에 자연스러운 마사지 효과있고 둥근 어깨를 교정해주며 목과 어깨에 원기를 북돋아주고, 폐, 위장, 비장 경혈에서 에너지 막힘을 제거한다.

허파의 기능을 강화. 기관지의 경련을 제거. 천식과 다른 호흡기 계통의 문제를 완화하는 데 도움을 준다. 부갑상선에 원기를 북돋아주고, 뇌하수체와 송과 선을 자극하고 강화한다.

기분과 감정을 조절하고 스트레스와 정신적인 불안을 덜어준다.

Asana No. 263

Sukha Matsyasana
Easy Fish Pose
수카 마츠야아사나
쉬운 물고기 자세

Asana No. 264

Sukha Matsyasana
Easy Fish Pose(Variation)
수카 마츠야아사나
쉬운 물고기 자세(변형)

Asana No. 265

Ardha Matsyasana
Half Fish Pose
아르다 마츠야아사나
반 물고기 자세

Matsyasana
Fish Pose
마츠야아사나
물고기 자세

Asana No. 267

Matsyasana
Fish Pose(Variation)
마츠야아사나
물고기 자세(변형)

Matsyasana
Fish Pose(Variation)
마츠야아사나
물고기 자세(변형)

Asana No. 269

Urdhva Matsyasana
Raised Fish Pose
우르드바 마츠야아사나
들어 올린 물고기 자세

Asana No. 270

Uttana Padasana
Extended Leg Pose
우타나 파다사나
다리 늘이기 자세

Asana No. 271

Prapada Paryankasana
Tiptoe Couch Pose(Preparation)
프라파다 파랸카아사나
발 끝을 이용한 소파 자세(준비)

Asana No. 272

Prapada Paryankasana
Tiptoe Couch Pose
프라파다 파랸카아사나
발 끝을 이용한 소파 자세

Supta Virasana
Sleeping Hero Pose
숩타 비라아사나
누운 영웅 자세

Asana No. 274

Supta Virasana
Sleeping Hero Pose(Variation)
숩타 비라아사나
누운 영웅 자세(변형)

Supta Bhekasana
Reclining Frog Pose(Preparation)
숩타 베카아사나
누운 개구리 자세(준비)

개구리 자세

이 아사나는 척추 근육을 탄력 있게 만든다. 이 자세를 통해 무릎과 발목, 엉덩이, 목 주변으로 혈액순환이 잘 되고 요통이 없어진다.

이 자세는 무릎의 관절 내 장애를 없애준다. 발에서 손의 압력이 활 모양을 더욱 강화하여 평발을 치료한다. 이 자세의 지속적인 연습을 통해 다리 근육의 위축과 다른 장애를 치료한다. 폐가 충분히 확장되고 복부의 장기들도 좋은 효과를 볼 수 있다.

Setu Bandhasana
Bridge-Forming Pose(Preparation)
세투 반다아사나
다리 만들기 자세(준비)

다리 자세

척추는 강하고 유연해져 등, 요추, 천골 부위를 안정. 등의 세움 근은 강화 엉덩이 근육강화, 뇌와 목의 풍부한 혈액의 흐름은 뇌하수체, 송과 선, 갑상선, 그리고 부신을 원활하게 기능을 촉진한다.

Asana No. 277

Setu Bandhasana
Bridge-Forming Pose
세투 반다아사나
다리 만들기 자세

Setu Bandhasana
Bridge-Forming Pose(Variation)
세투 반다아사나
다리 만들기 자세(변형)

Asana No. 279

Ardha Baddha Padma Setu Bandhasana
Half-Bound Lotus Bridge-Forming Pose (Preparation)
아르다 바드하 파드마 세투 반다아사나
반 묶인 연꽃 다리 만들기 자세(준비)

Ardha Baddha Padma Setu Bandhasana
Half-Bound Lotus Bridge-Forming Pose
아르다 바드하 파드마 세투 반다아사나
반 묶인 연꽃 다리 만들기 자세

Asana No. 281

Eka Pada Setu Bandhasana
One-Leg Bridge-Forming Pose
에카 파다 세투 반다아사나
한쪽 다리로 다리 모양 만들기 자세

Ardha Vayu Muktyasana
Half Wind-Relieving Pose
아르다 바유 무크트야아사나
반 바람빼기 자세

Asana No. 283

Vayu Muktyasana
Wind-Relieving Pose
바유 무크트야아사나
바람빼기 자세

Asana No. 284

Supta Padangushtasana
Reclining Big Toe Pose(Preparation)
숩타 파당구쉬타아사나
누워서 엄지발가락 당기기 자세(준비)

Asana No. 285

Supta Padangushtasana
Reclining Big Toe Pose(Preparation)
숩타 파당구쉬타아사나
누워서 엄지발가락 당기기 자세(준비)

Asana No. 286

Supta Padangushtasana
Reclining Big Toe Pose
숩타 파당구쉬타아사나
누워서 엄지발가락 당기기 자세

Asana No. 287

Supta Padangushtasana
Reclining Big Toe Pose(Variation)
숩타 파당구쉬타아사나
누워서 엄지발가락 당기기 자세(변형)

Asana No. 288

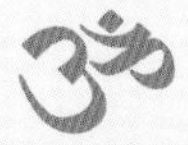

Supta Padangushtasana
Reclining Big Toe Pose(Variation)
숩타 파당구쉬타아사나
누워서 엄지발가락 당기기 자세(변형)

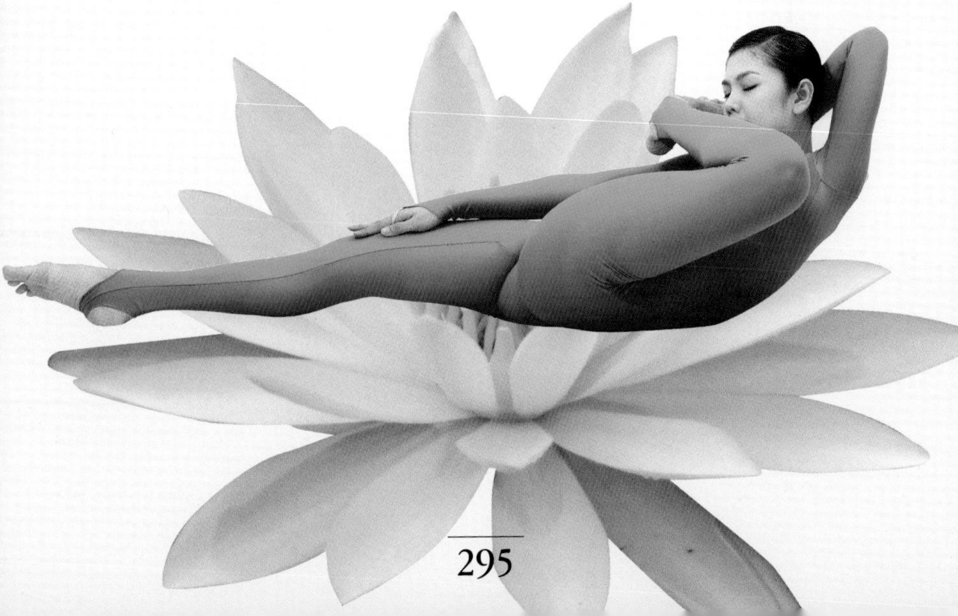

Asana No. 289

Supta Padangushtasana
Reclining Big Toe Pose(Variation)
숩타 파당구쉬타아사나
누워서 엄지발가락 당기기 자세(변형)

Supta Trivikramasana
Reclining Vishnu Pose
숩타 트리비크라마아사나
누운 비슈누 자세

Asana No. 291

Bhairavasana
Fomidable Shiva Pose
바이라바아사나
강력한 시바 자세

Asana No. 292

Anantasana
Infinity Pose(Preparation)
아난타아사나
이완 자세(준비)

Asana No. 293

Anantasana
Infinity Pose(Preparation)
아난타아사나
이완 자세(준비)

Anantasana
Infinity Pose
아난타아사나
이완 자세

Asana No. 295

Anantasana
Infinity Pose(Variation)
아난타아사나
이완 자세(변형)

Asana No. 296

Dwi Pada Anantasana
Two-Leg Infinity Pose
드위 파다 아난타아사나
양 다리 이완 자세

Asana No. 297

Jatharasana
Abdominal Lift Pose
자타라아사나
복부 들어올리기 자세

Ardha Navasana
Half Boat Pose
아르다 나바아사나
반 보트 자세

조각배 자세

신진대사촉진, 갑상선 부갑상선 기능강화, 소화불량으로 인한 위장장애 완화, 또한 복부 내의 장기 기능촉진. 척추 세움, 근육을 강화, 노화로 허리가 굽는 것을 예방, 척추에 활력을 주어 우아하고 편안하게 노화할 수 있도록 돕는다. 허리가 강해야 하는 산모에게 이 자세와 허리 비틀기 자세를 병행하면 더 효과적이다.

Paripurna Navasana
Complete Boat Pose
파리푸르나 나바아사나
완성 보트 자세

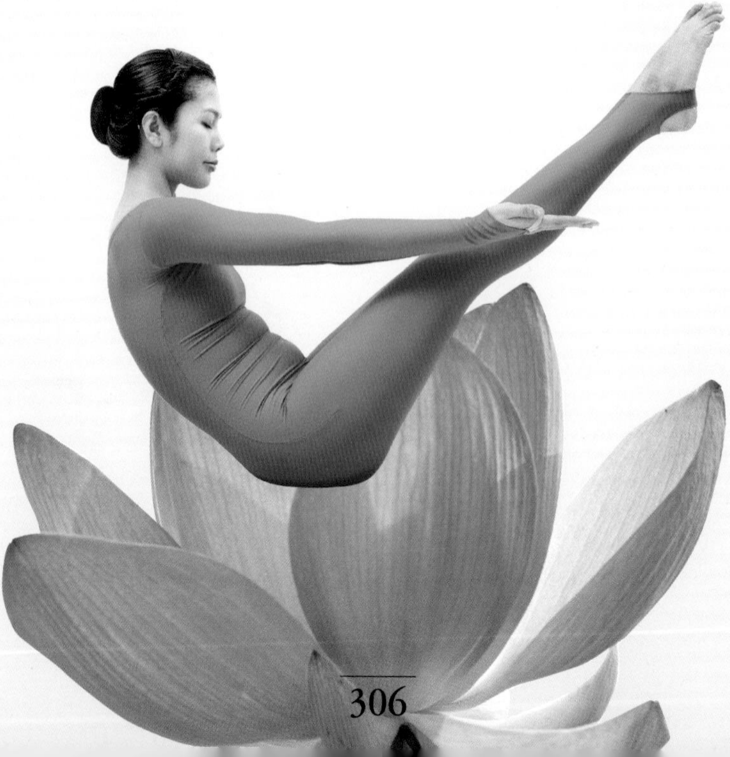

Asana No. 300

Salamba Navasana
Supported Boat Pose
살람바 나바아사나
지지된 보트 자세

Asana No. 301

Salamba Navasana
Supported Boat Pose
살람바 나바아사나
지지된 보트 자세

Asana No. 302

Salamba Navasana
Supported Boat Pose(Variation)
살람바 나바아사나
지지된 보트 자세(변형)

Asana No. 303

Ubhaya Padangushtasana
Both Feet Big Toe Pose
우바야 파당구쉬타아사나
양발 엄지발가락 잡기 자세

Asana No. 304

Urdhva Mukha Paschimatanasana I
Upward Facing Back Stretch Pose (Front View)
우르드바 무카 파스치마타나아사나 I
위를 향한 허리 스트레칭 자세(앞모습)

Asana No. 305

Urdhva Mukha Paschimatanasana I
Upward Facing Back Stretch Pose (Side View)
우르드바 무카 파스치마타나아사나 I
위를 향한 허리 스트레칭 자세(옆모습)

Asana No. 306

Upavishta Konasana
Seated Angle Pose(Variation)
우파비스타 코나아사나
앉은 각 자세(변형)

Asana No. 307

Upavishta Konasana
Seated Angle Pose(Variation)
우파비스타 코나아사나
앉은 각 자세(변형)

Krounchasana
Heron Pose(Preparation)
크라운차아사나
왜가리 자세(준비)

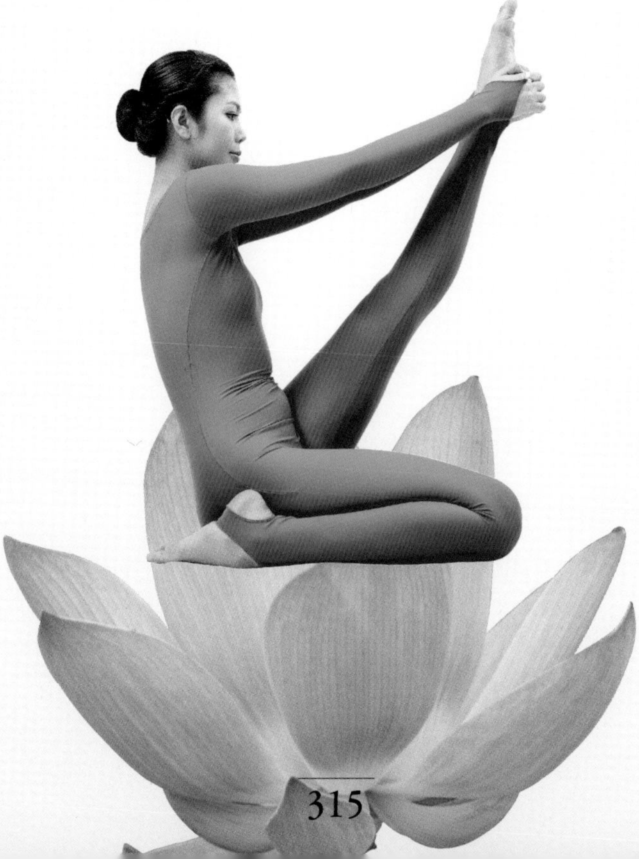

Asana No. 309

Krounchasana
Heron Pose
크라운차아사나
왜가리 자세

Akarna Dhanurasana
Shooting Bow Pose
아카르나 다누라아사나
활쏘기 자세

활쏘기 자세

이 자세를 연습하면 다리 근육이 매우 유연해진다. 복근이 수축되고 이는 창자가 움직이는 데 도움을 준다. 그다지 심각하지 않은 고관절 기형을 바로잡을 수 있다. 척추의 하부 부분이 운동된다. 이 자세는 아주 우아하다. 별 힘을 들이지 않아도 자연스럽게 될 정도까지 이 자세를 연습해야 하며, 이 자세를 통해 훈련을 많이 한 궁수가 활에서 화살을 뽑아든 모습이 연출된다.

Asana No. 311

Akarna Dhanurasana
Shooting Bow Pose(Variation)
아카르나 다누라아사나
활쏘기 자세(변형)

Asana No. 312

Akarna Dhanurasana
Shooting Bow Pose(Variation)
아카르나 다누라아사나
활쏘기 자세(변형)

Asana No. 313

Dandasana
Staff Pose
단다아사나
막대 자세

Asana No. 314

Sukha Chakorasana
Comfortable Bird Pose
수카 차코라아사나
쉬운 새 자세

Asana No. 315

Chakorasana
Bird Pose
차코라아사나
새 자세

Asana No. 316

Chakorasana
Bird Pose(Variation)
차코라아사나
새 자세(변형)

Asana No. 317

Eka Pada Shirshasana
One Leg Behind the Head Pose
에카 파다 쉬르샤아사나
한쪽 다리를 머리 뒤로 하는 자세

다리 어깨에 걸기

다리를 어깨에 거는 다양한 동작들은 전신의 신경계, 순환계, 근육계를 진정시킨다. 척추에는 혈액이 풍부하게 공급되어 척추에 위치한 다양한 차크라(Chakra))에 신경 에너지를 증가시킨다. 차크라는 인체라는 기계에서 바퀴 역할을 한다. 이 자세는 흉부를 발달시켜 깊은 호흡을 하게하고 몸은 더 견고하게 한다. 전신의 신경 떨림을 멈추고, 신경 떨림의 원인이 되는 질병들을 예방한다. 신체 곳곳에 맑은 혈액을 공급하고 탁한 피는 심장과 폐로 다시 가져와 정화될 수 있도록 한다. 본 자세를 수행하면 혈액의 헤모글로빈 수준이 향상되며, 정신과 육체가 활력 있게 일을 할 수 있는 능력이 향상된다.

Asana No. 318

Viranchyasana
Pose of the Lord Viranchi
비란챠아사나
비란치 신의 자세

Asana No. 319

Viranchyasana
Pose of the Lord Viranchi(Variation)
비란챠아사나
비란치 신의 자세(변형)

Omkarasana
Om Pose
옴카라아사나
옴 자세

Asana No. 321

Sukha Garbha Pindasana
Easy Embryo in the Womb Pose
수카 가르바 핀다아사나
쉬운 자궁 속 태아 자세

Asana No. 322

Garbha Pindasana
Embryo in the Womb Pose
가르바 핀다아사나
자궁 속 태아 자세

Asana No. 323

Garbha Pindasana
Embryo in the Womb Pose(Variation)
가르바 핀다아사나
자궁 속 태아 자세(변형)

Dwi Pada Shirshasana
Balancing Tortoise Pose
드위 파다 쉬르샤아사나
균형 잡힌 거북이 자세

Asana No. 325

Ardha Shalabhasana
Half Locust Pose
아르다 샬라바아사나
반 메뚜기 자세

메뚜기 자세

척추를 뒤로 젖혀 탄력적으로 만들며, 천골, 요추 통증, 위장장애 치유, 탈구 디스크정상화, 방광 전립선을 강화한다.

Shalabhasana
Locust Pose(Variation)
샬라바아사나
메뚜기 자세(변형)

Asana No. 327

Makarasana
Crocodile Pose
마카라아사나
악어 자세

악어 자세

척추, 어깨, 팔, 손목 근력 강화, 신체의 무기력을 극복 생기를 주어 회춘에 이르며 뇌의 피로가 회복된다. 매일 반복적으로 시행 100회 이상으로 늘여나간다.

ॐ

Asana No. 328

Navasana
Boat Pose(Preparation)
나바아사나
보트 자세(준비)

Asana No. 329

Navasana
Boat Pose
나바아사나
보트 자세

Asana No. 330

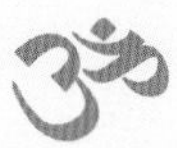

Vyaghrasana
Tiger Pose
뱌그라아사나
호랑이 자세

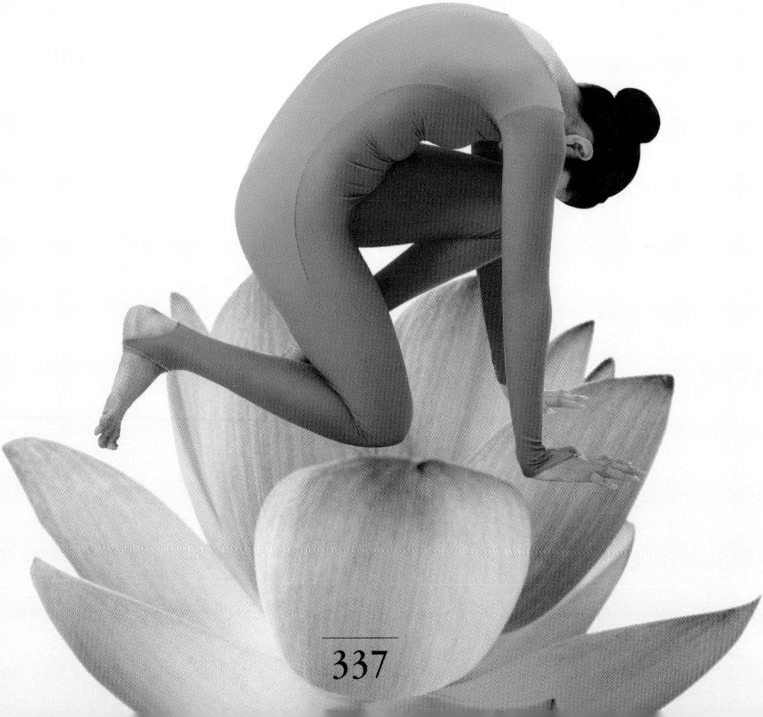

Asana No. 331

Vyaghrasana
Tiger Pose(Variation)
뱌그라아사나
호랑이 자세(변형)

Asana No. 332

Vyaghrasana
Tiger Pose(Variation)
뱌그라아사나
호랑이 자세(변형)

Asana No. 333

Vyaghrasana
Tiger Pose(Variation)
뱌그라아사나
호랑이 자세(변형)

Vyaghrasana
Tiger Pose(Variation)
뱌그라아사나
호랑이 자세(변형)

Asana No. 335

Vyaghrasana
Tiger Pose(Variation)
뱌그라아사나
호랑이 자세(변형)

Vyaghrasana
Tiger Pose(Variation)
뱌그라아사나
호랑이 자세(변형)

Asana No. 337

Uddhiyana Marjaryasana
Abdominal Cat Lift A
우띠야나 마르자르야아사나
복부 들어올리기 고양이 자세 A

Asana No. 338

Marjaryasana
Cat Stretch Pose A
마르자르야아사나
고양이 스트레칭 자세 A

Asana No. 339

Marjaryasana
Cat Stretch Pose B
마르자르야아사나
고양이 스트레칭 자세 B

Asana No. 340

Gorakshasana
Pose of the Lord Goraksha
고락샤아사나
고락샤 신의 자세

Asana No. 341

Gorakshasana
Pose of the Lord Goraksha(Variation)
고락샤아사나
고락샤 신의 자세(변형)

Asana No. 342

Gorakshasana
Pose of the Lord Goraksha(Variation)
고락샤아사나
고락샤 신의 자세(변형)

Asana No. 343

Gorakshasana
Pose of the Lord Goraksha(Variation)
고락샤아사나
고락샤 신의 자세(변형)

Hanumanasana
Pose of the Lord Hanuman(Preparation)
하누만아사나
하누만 신의 자세(준비)

원숭이 두목자세

이 아름다운 자세는 좌골 신경통과 다리 부위의 다른 불편함을 치료하는 데 도움을 준다. 이 자세는 다리 근육을 튼튼하게 하고 다리의 전반적인 상태를 건강하게 유지시킨다. 단거리 주자들과 (장거리, 마라톤) 등의 주자들이 이 자세를 정기적으로 꾸준히 연습하기를 권한다. 이 자세는 대퇴부의 외전근을 강화한다.

Asana No. 345

Hanumanasana
Pose of the Lord Hanuman/Leg-Split Pose
하누만아사나
하누만 신의 자세/다리 찢기 자세

Hanumanasana
Pose of the Lord Hanuman/
Leg-Split Pose(Variation)
하누만아사나
하누만 신의 자세/다리 찢기 자세(변형)

Asana No. 347

Kailashasana
Pose of the Lord Kailasha(Preparation)
카일라샤아사나
카일라샤 신의 자세(준비)

Kailashasana
Pose of the Lord Kailasha
카일라샤아사나
카일라샤 신의 자세

Asana No. 349

Hanumana Namaskara
Hanuman Salutation Pose
하누마나 나마스카라
하누만 경배 자세

Yajnasana
Christ's Cross Pose(Front View)
야즈나아사나
십자가 자세(앞모습)

Yajnasana
Christ's Cross Pose(Side View)
야즈나아사나
십자가 자세(옆모습)

Baddha Yajnasana
Bound Christ's Cross Pose(Front View)
바드하 야즈나아사나
묶인 십자가 자세(앞모습)

Baddha Yajnasana
Bound Christ' s Cross Pose(Side View)
바드하 야즈나아사나
묶인 십자가 자세(옆모습)

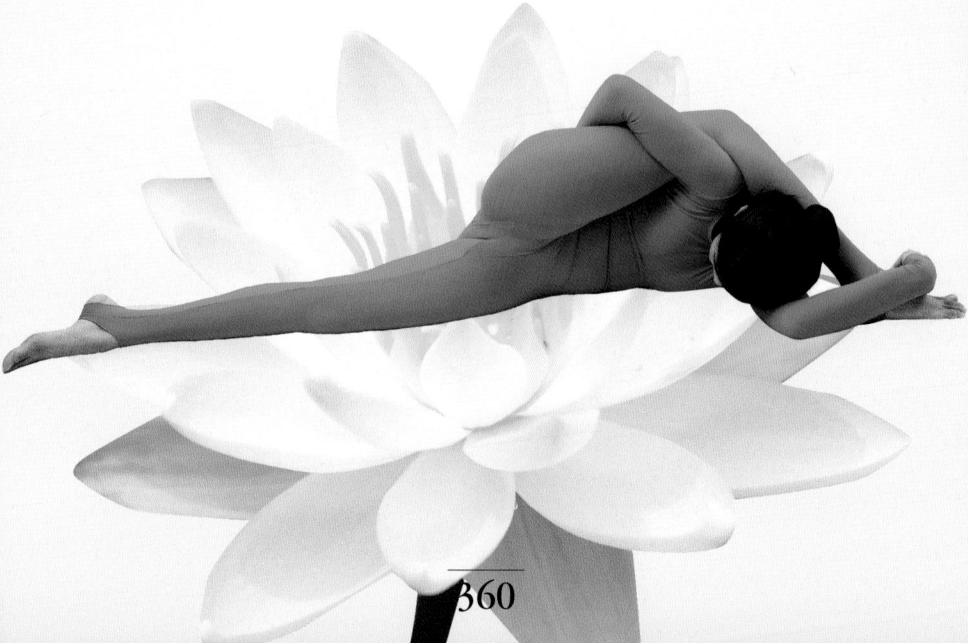

Samakonasana
Even Angle Pose
사마코나아사나
평평한 각 자세

Asana No. 355

Samakonasana
Even Angle Pose(Variation)
사마코나아사나
평평한 각 자세(변형)

Samakonasana
Even Angle Pose(Variation)
사마코나아사나
평평한 각 자세(변형)

Raja Hanumanasana
King Leg-Split Pose(Preparation)
라자 하누만아사나
왕 다리 찢기 자세(준비)

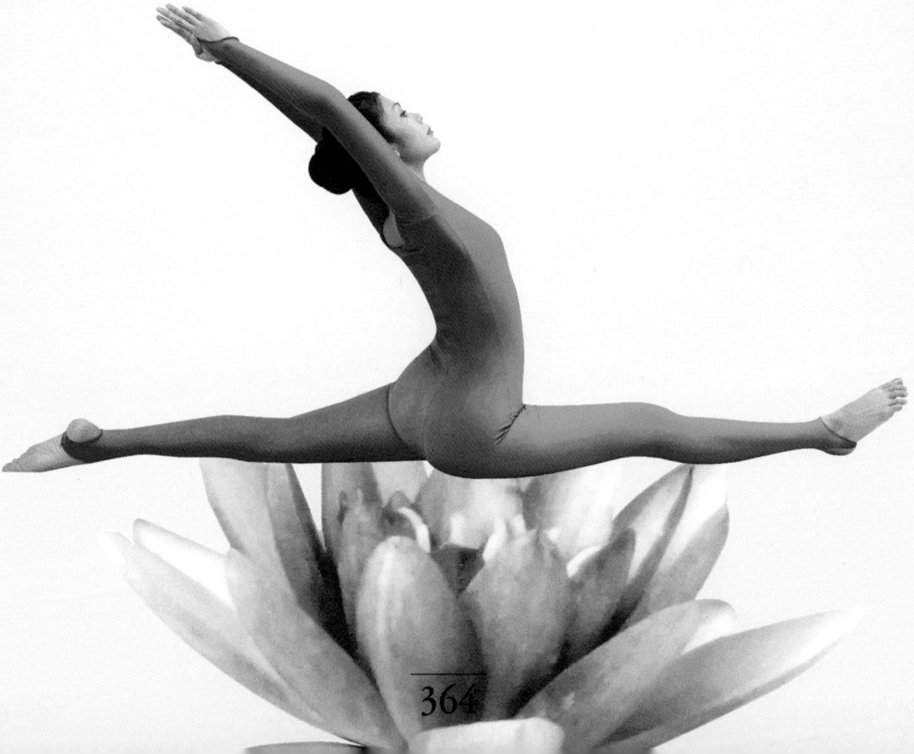

Raja Hanumanasana
King Leg-Split Pose(Preparation)
라자 하누만아사나
왕 다리 찢기 자세(준비)

Asana No. 359

Raja Hanumanasana
King Leg-Split Pose
라자 하누만아사나
왕 다리 찢기 자세

Raja Hanumanasana
King Leg-Split Pose(Preparation)
라자 하누만아사나
왕 다리 찢기 자세(준비)

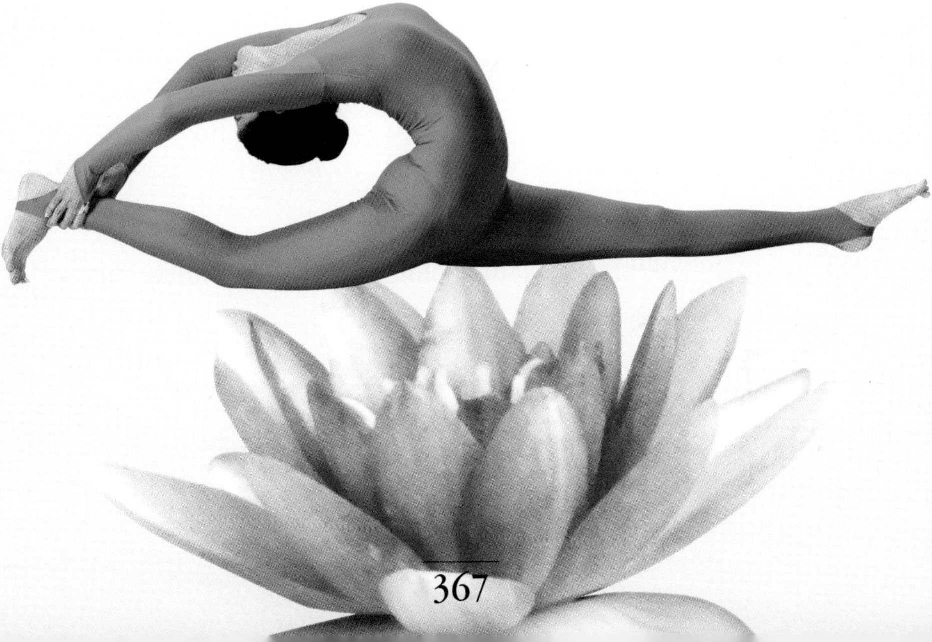

Asana No. 361

Parshva Upavishta Konasana
Side Seated Angle Pose
파르쉬바 우파비스타 코나아사나
앉은 각 측면 자세

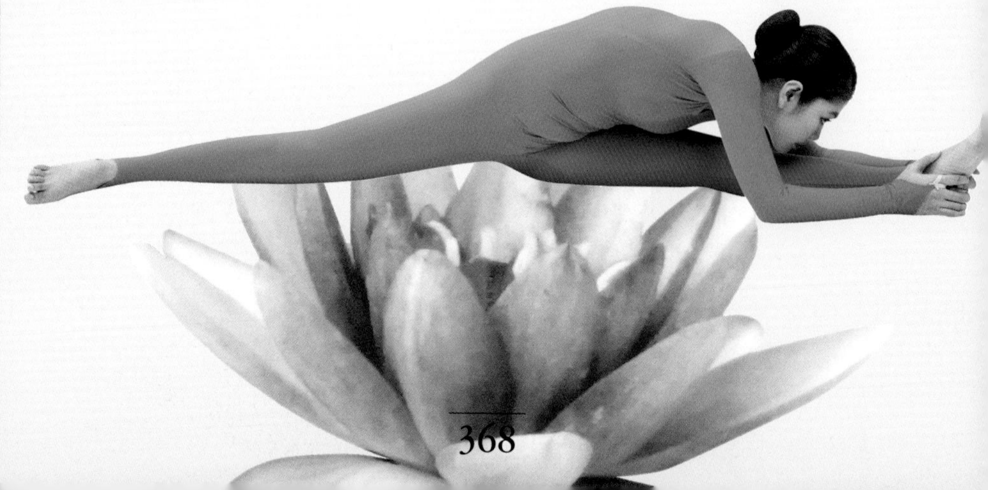

Parivrtta Upavishta Konasana
Revolving Seated Angle Pose
파리브르타 우파비스타 코나아사나
앉은 각 회전 자세

Asana No. 363

Kurmasana
Tortoise Pose(Front View)
쿠르마아사나
거북이 자세(앞모습)

Kurmasana
Tortoise Pose(Side View)
쿠르마아사나
거북이 자세(옆모습)

Asana No. 365

Kurmasana
Tortoise Pose(Rear View)
쿠르마아사나
거북이 자세(뒷모습)

Asana No. 366

Upavishta Konasana
Seated Angle Pose(Variation)
우파비스타 코나아사나
앉은 각 자세(변형)

Asana No. 367

Upavishta Konasana
Seated Angle Pose(Variation)
우파비스타 코나아사나
앉은 각 자세(변형)

Tarasana
Star Pose
타라아사나
별 자세

Asana No. 369

Sukha Supta Kurmasana
Easy Sleeping Tortoise Pose(Preparation)
수카 숩타 쿠르마아사나
쉬운 누운 거북이 자세(준비)

거북이자세

거북이(Curma)는 우주를 창조한 비쉬누(Vishnu)의 신성한 환생이다.

외부의 모든 감각 대상은 고통의 원인이 되는 올가미이다. 이 자세는 푸라탸하라 (Pratyahara)로, 거북이가 사지를 덮개 안으로 잡아당겨 감추듯, 집중을 통하여 외부대상으로부터 감각을 분리시켜 의식으로 감각을 완전히 통제하는 수행이다. 사지를 끌어 들여 몸을 거북이처럼 만들면 신경은 안정되어 뇌는 고요하고 기쁨과 슬픔에 흔들리지 않고, 마음은 평정을 찾는다. 이 자세를 계속 수행하면 고통과 불안으로부터 자유로워 질것이며, 쾌락의 열정에 무관심하게 될 것이다. 두려움이 자신감으로 변환되며, 불같은 분노의 감정이 마음속에서 사라져 재가 될 것이다.

신체적인 차원은 척추를 더욱 유연해지고, 강화된다. 복부의 모든 장기를 활성화하여 독소가 쌓이는 것을 방지한고, 인체를 더욱 활기차고 생기가 충만 젊음을 되찾을 것이다.

Yoganidrasana
Yogic Sleep Pose
요가니드라아사나
요가의 잠 자세

Asana No. 371

Yoganidrasana
Yogic Sleep Pose(Variation)
요가니드라아사나
요가의 잠 자세(변형)

Asana No. 372

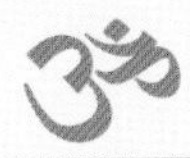

Gupta Padmasana
Hidden Lotus Pose
굽타 파드마아사나
감춘 연꽃 자세

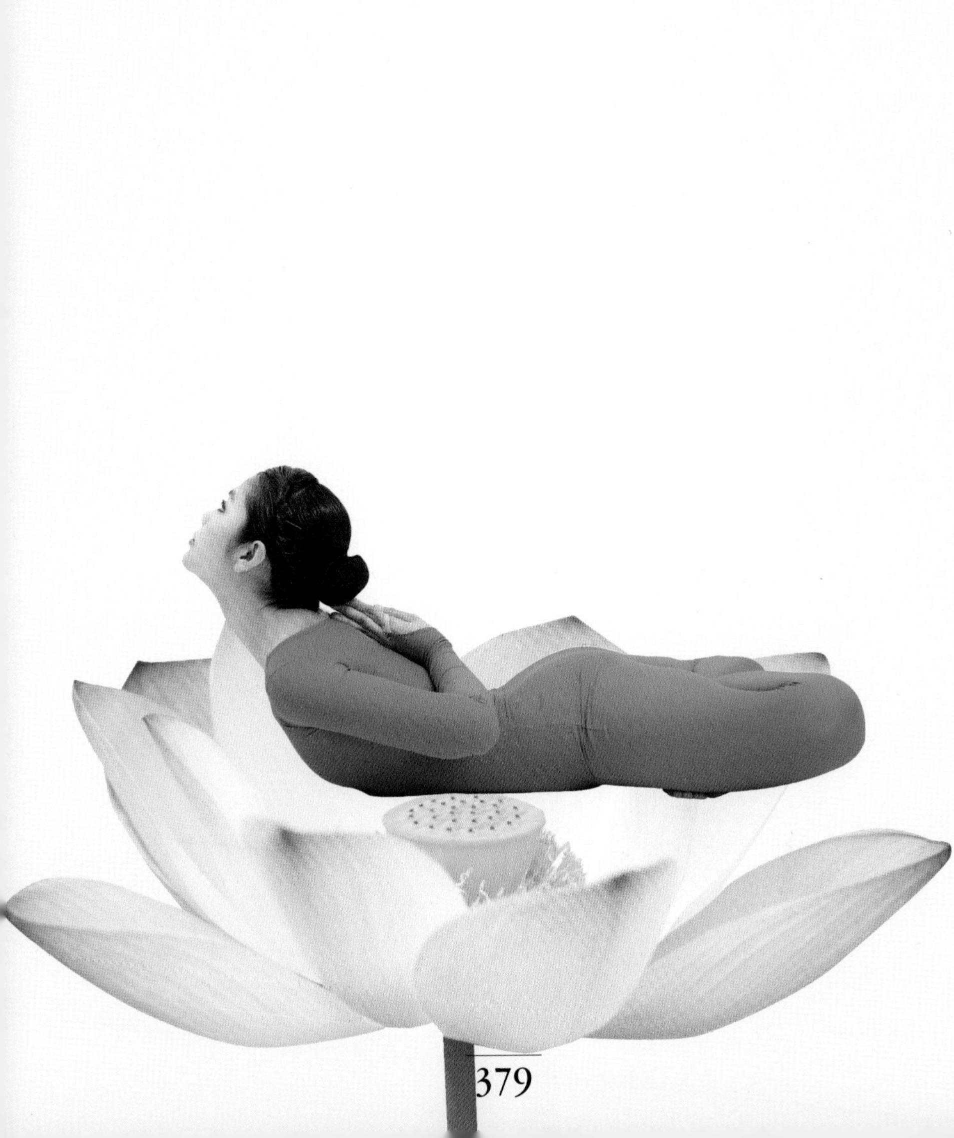

Asana No. 373

Vira Tolasana
Hero Scale Pose
비라 톨라아사나
영웅 저울 자세

Bhujangasana
Cobra Pose(Preparation)
부장가아사나
코브라 자세(준비)

코브라 자세

흉부팽창, 폐의 탄성, 호흡량 증가, 요통, 좌골 신경통, 탈구 및 탈출된 디스크와 척추 디스크의 통증 진정, 흉추와 요추 유연, 골반 부위의 혈액순환 증가, 척추 활력, 회춘에 도움이 된다.

Bhujangasana
Cobra Pose(Variation)
부장가아사나
코브라 자세(변형)

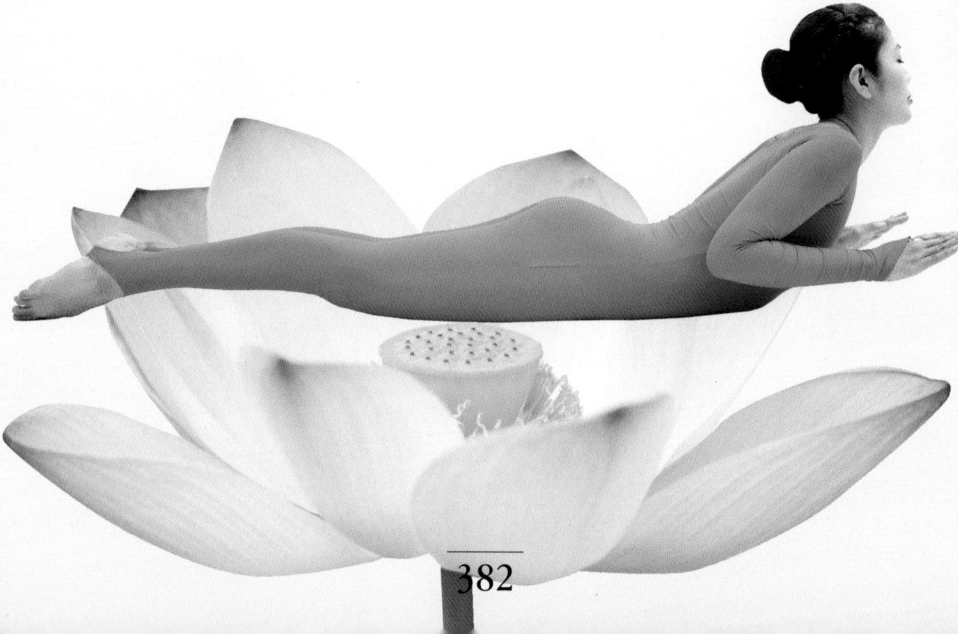

Asana No. 376

Bhujangasana
Cobra Pose
부장가아사나
코브라 자세

Canha Yoga

Urdhva Mukha Svanasana
Upward Facing Dog Pose
우르드바 무카 스바나아사나
위를 향한 개 자세

Eka Pada Raja Bhujangasana
One-Leg King Cobra Pose(Preparation)
에카 파다 라자 부장가아사나
한쪽 다리를 이용한 왕 코브라 자세(준비)

Asana No. 379

Eka Pada Raja Bhujangasana
One-Leg King Cobra Pose(Preparation)
에카 파다 라자 부장가아사나
한쪽 다리를 이용한 왕 코브라 자세(준비)

Raja Bhujangasana
King Cobra Pose
라자 부장가아사나
왕 코브라 자세

Asana No. 381

Raja Bhujangasana
King Cobra Pose(Variation)
라자 부장가아사나
왕 코브라 자세(변형)

Asana No. 382

Padma Bhujangasana
Lotus Cobra Pose(Preparation)
파드마 부장가아사나
연꽃 코브라 자세(준비)

Padma Bhujangasana
Lotus Cobra Pose
파드마 부장가아사나
연꽃 코브라 자세

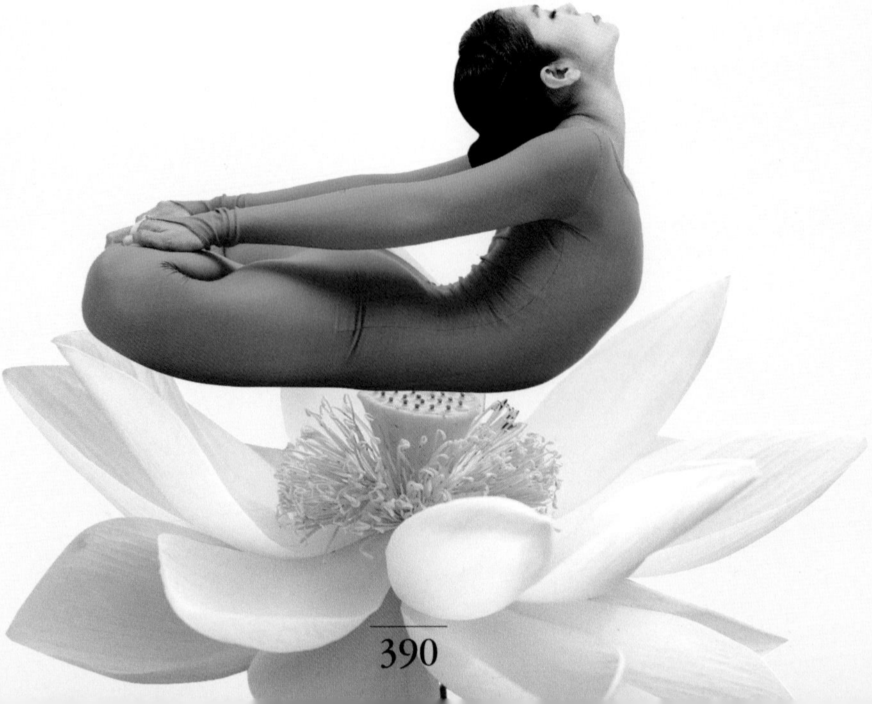

Padma Bhujangasana
Lotus Cobra Pose(Rear View)
파드마 부장가아사나
연꽃 코브라 자세(뒷모습)

Asana No. 385

Rajakapotasana
King Pigeon Pose(Preparation)
라자카포타아사나
왕 비둘기 자세(준비)

왕비둘기 자세

이 자세는 갑상선, 부갑상선, 부신, 생식샘은 혈액을 풍부하게 공급받아 원활하게 기능하며, 활력이 증가한다. 이 자세에서는 치부에 더 많은 혈액이 순환하여 건강하게 유지된다.

이 자세들은 척추 중 요추와 등을 회복시킨다. 목과 어깨 근육들이 완전히 운동되며 다리의 다양한 자세들은 허벅지와 발목을 강화한다. 이 자세는 방광 장애 및 성적 욕구를 통제하기 위해 권장한다.

Asana No. 386

Rajakapotasana
King Pigeon Pose(Preparation)
라자카포타아사나
왕 비둘기 자세(준비)

Asana No. 387

Sukha Rajakapotasana
Easy King Pigeon Pose
수카 라자카포타아사나
쉬운 왕 비둘기 자세

Rajakapotasana
King Pigeon Pose(Preparation)
라자카포타아사나
왕 비둘기 자세(준비)

Rajakapotasana
King Pigeon Pose
라자카포타아사나
왕 비둘기 자세

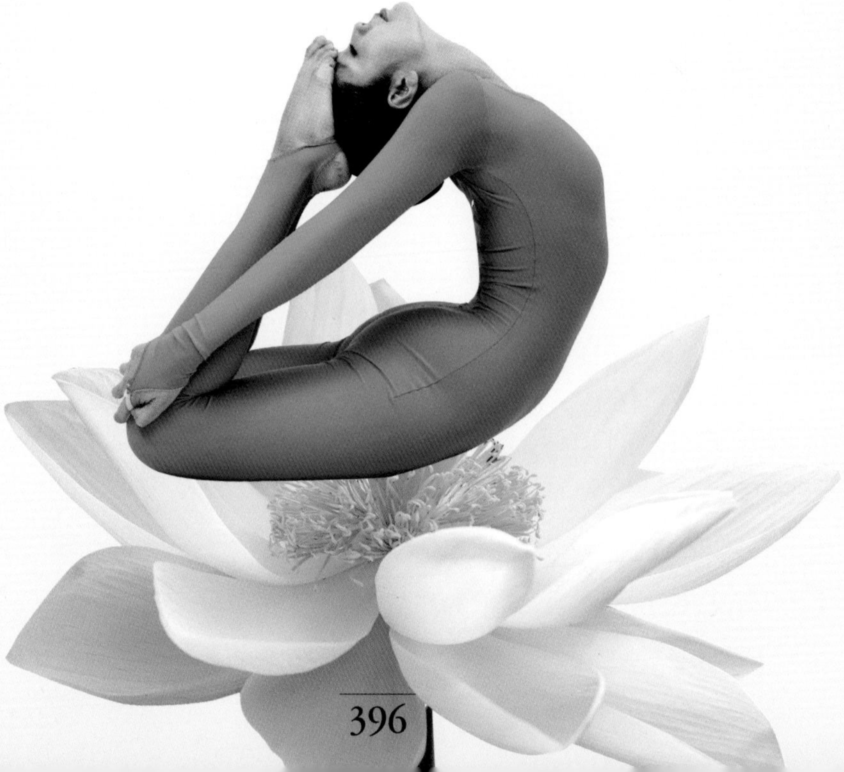

Eka Pada Shirsha Rajakapotasana
One Leg to Head Pigeon Pose
에카 파다 쉬르샤 라자카포타아사나
한쪽 다리를 머리로 향한 비둘기 자세

Asana No. 391

Bhekasana
Frog Pose
베카아사나
개구리 자세

Dhanurasana
Bow Pose
다누라아사나
활 자세

활 자세

본 좌법의 스트레칭은 모든 척추 뼈에 도움이 된다. 몸 전체가 중압을 받아 탄성이 증가한다. 체중 전체가 배꼽 근처의 복부에 실리며, 복부 대동맥에 가해지는 중압에 의해 복부에 혈액이 원활하게 공급된다. 이로 인해 복부가 건강하게 유지되며 소화에 도움이 된다. 이 자세에서는 견갑골이 잘 스트레칭 되어 어깨의 뻐근함이 해소된다. 그러나 가장 뚜렷한 효과는 힘든 자세를 하면서도 마음은 수동적이고 정적으로 유지된다. 이 좌법은 몸은 정돈되고, 젊음은 지속되며, 머리는 상쾌하고 고요해진다.

Asana No. 393

Dhanurasana
Bow Pose(Variation)
다누라아사나
활 자세(변형)

Dhanurasana
Bow Pose(Variation)
다누라아사나
활 자세(변형)

Dhanurasana
Bow Pose(Variation)
다누라아사나
활 자세(변형)

Asana No. 396

Eka Pada Dhanurasana
One Leg Bow Pose(Variation)
에카 파다 다누라아사나
한쪽 다리를 이용한 활 자세(변형)

Asana No. 397

Eka Pada Dhanurasana
One Leg Bow Pose(Variation)
에카 파다 다누라아사나
한쪽 다리를 이용한 활 자세(변형)

Dur Dhanurasana
Difficult Bow Pose(Variation)
두르 다누라아사나
어려운 활 자세(변형)

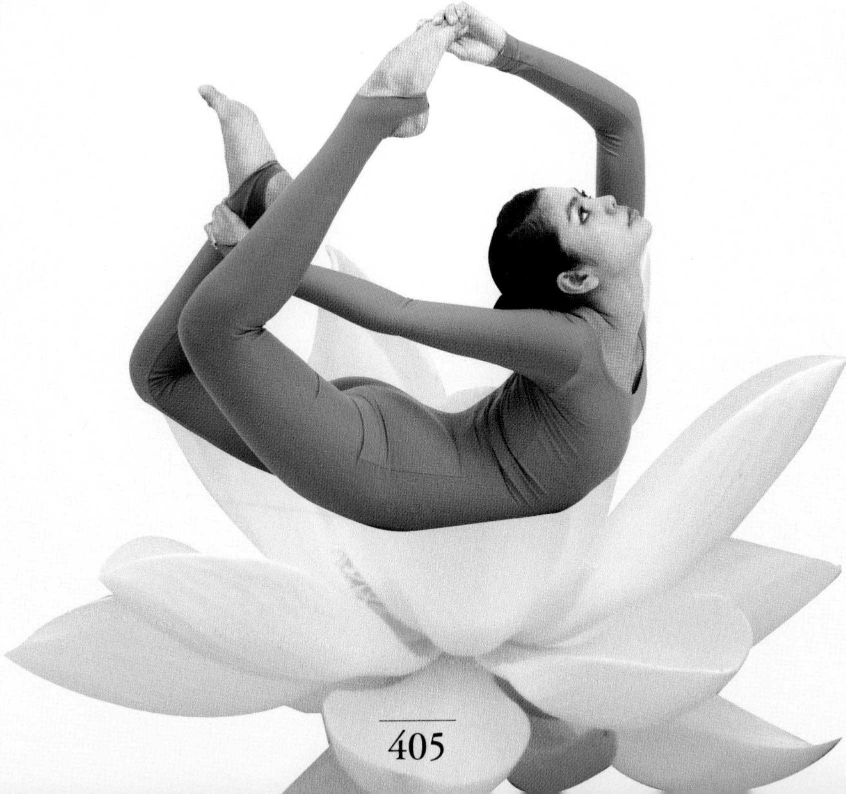

Asana No. 399

Kamalasana
Pose of the Goddess Kamala
카말라아사나
카말라 신의 자세

Gherandasana
Pose of the Sage Gheranda(Variation)
게란다아사나
현인 게란다의 자세(변형)

성자 자세

강도 높은 스트레칭은 모든 척추 뼈에 도움이 되며, 몸 전체가 더 유연하게 된다. 배꼽 근처의 복부에 체중이 실리며, 복부 대동맥에 가해지는 중압에 의해 혈액이 원활하게 공급되어 복부 기관이 건강하게 유지된다. 이로 인해 소화력이 향상된다. 견갑골이 완전히 늘어나 어깨의 뻐근함이 해소된다. 이 자세로 인해 무릎이 강화되며 관절염이나 통풍으로 인한 무릎 관절 통증이 해소된다. 손으로 발에 압력을 가해 발바닥을 교정하며 평발에 도움이 된다. 이 자세는 발목 관절을 강화시키고 발뒤꿈치의 통증을 해소하며 종골 극에 도움이 된다.

Asana No. 401

Gherandasana
Pose of the Sage Gheranda(Variation)
게란다아사나
현인 게란다의 자세(변형)

Gherandasana
Pose of the Sage Gheranda(Variation)
게란다아사나
현인 게란다의 자세(변형)

Asana No. 403

Gherandasana
Pose of the Sage Gheranda(Variation)
게란다아사나
현인 게란다의 자세(변형)

Kukkutasana
Cock Pose
쿠쿠타아사나
수탉 자세

Asana No. 405

Malasana
Garland Pose
말라아사나
화환 자세

Asana No. 406

Malasana
Garland Pose(Variation)
말라아사나
화환 자세(변형)

Asana No. 407

Upavistha Prapadasana
Crouching Tiptoe Pose
우파비스타 프라파다아사나
웅크린 발 끝 자세

발끝 자세

무라다라 차크라(Muladhara Chakra)을 깨우고 ,전립선, 생식선의 기능을 강화하는 수행이다. 또한 과도한 성적 욕구를 통제하며 에너지를 비축하는데 에 효과가 있다. 그러므로 정신을 통제하며 안정시킨다.

의식은 감각 기관의 지배자이며, 의식의 지배자는 푸라나 (Prana)이다. 푸라나를 소멸시키는 것은 라야(Laya)이다. 라야 는 나다(Nada)즉 내적 소리 에 의존한다. 의식이 움직이지 않으면 푸라나가 움직이지 않고 정액도 움직이지 않는다. 과도한 성적 욕구를 가진 사람들에게 큰 도움이 된다. 성적 욕구를 통제 하여 마음과 에너지가 승화 되였을 때 인생에 대한 진정한 즐거움이 무한대로 확장된다.

Asana No. 408

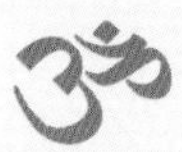

Prapadasana
Tiptoe Pose(Side View)
프라파다아사나
발 끝 자세(옆모습)

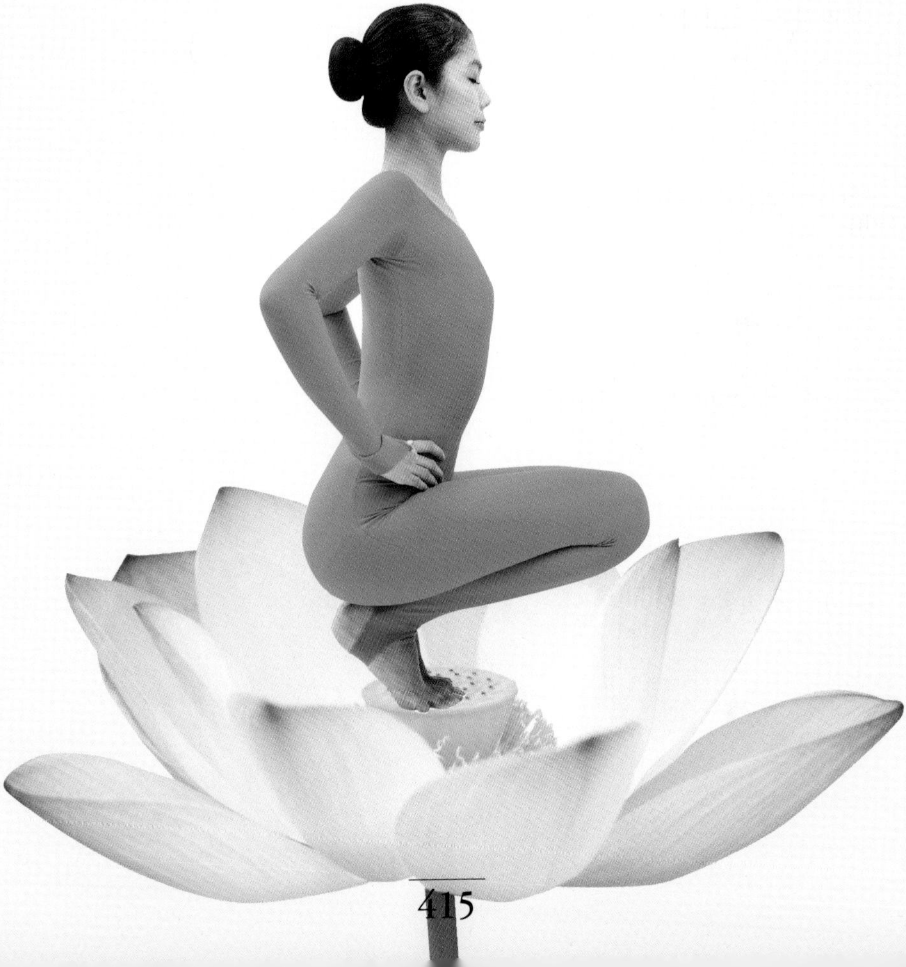

Asana No. 409

Prapadasana
Tiptoe Pose(Preparation)
프라파다아사나
발 끝 자세(준비)

Prapadasana
Tiptoe Pose
프라파다아사나
발 끝 자세

Asana No. 411

Prapadasana
Tiptoe Pose(Preparation)
프라파다아사나
발 끝 자세(준비)

Prapadasana
Tiptoe Pose(Variation)
프라파다아사나
발 끝 자세(변형)

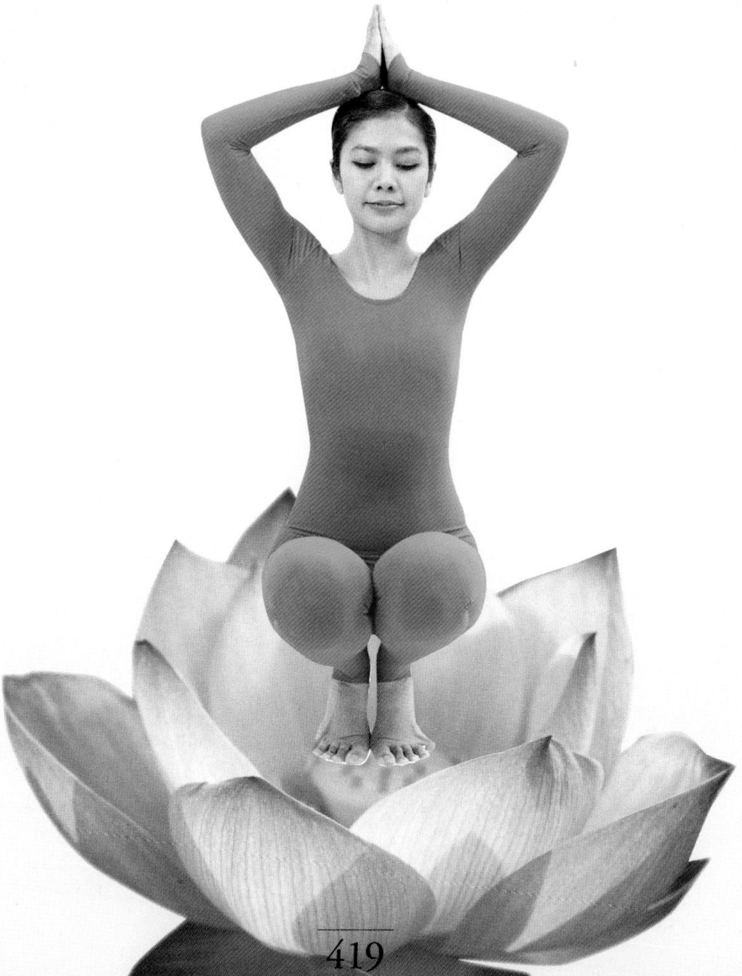

Asana No. 413

Ardha Prapadasana
Half-Bound Tiptoe Pose
아르다 프라파다아사나
반 묶인 발 끝 자세

Ardha Prapadasana
Half-Bound Tiptoe Pose
아르다 프라파다아사나
반 묶인 발 끝 자세

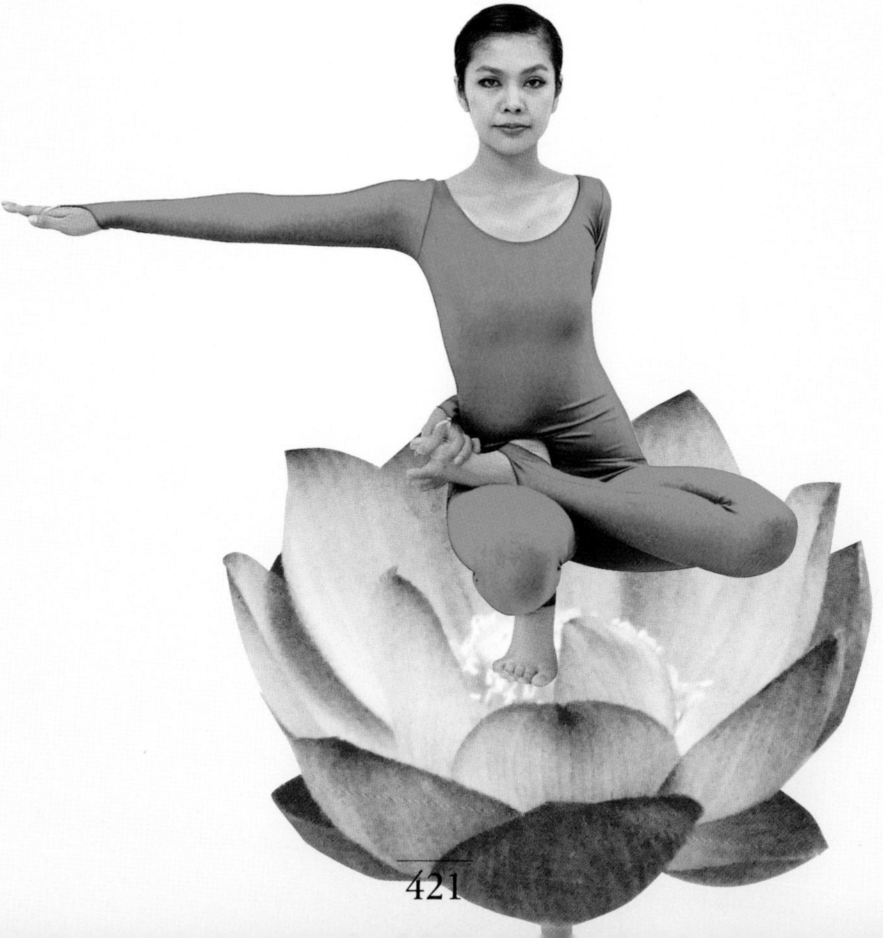

Prapadasana
Tiptoe Pose(Variation)
프라파다아사나
발 끝 자세(변형)

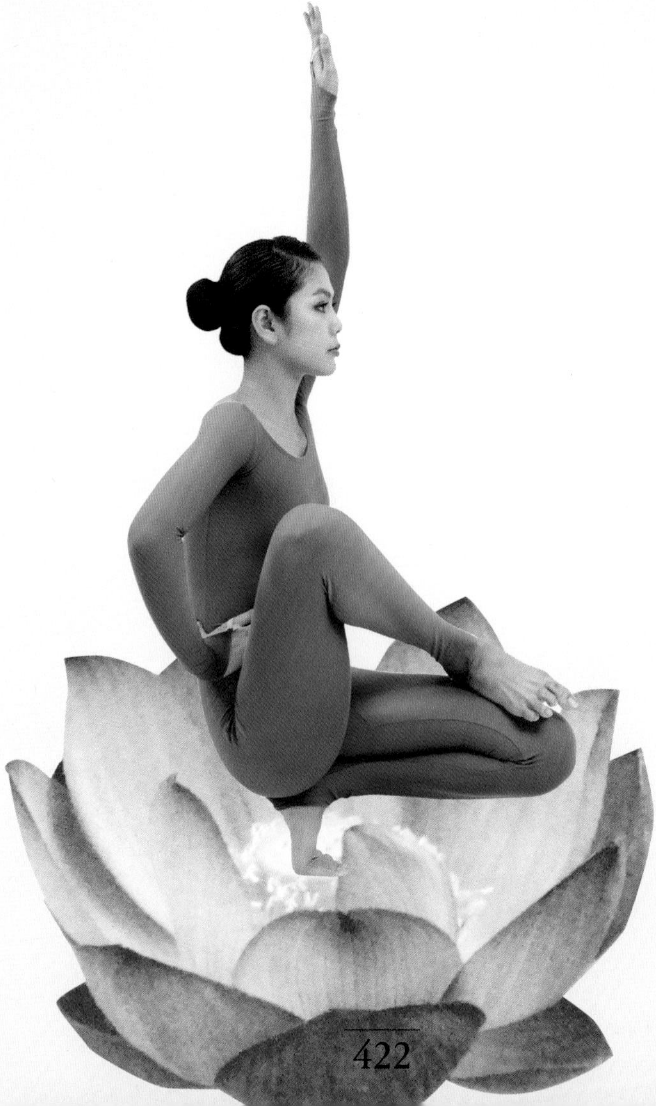

Prapadasana
Tiptoe Pose(Variation)
프라파다아사나
발 끝 자세(변형)

Prapadasana
Tiptoe Pose(Variation)
프라파다아사나
발 끝 자세(변형)

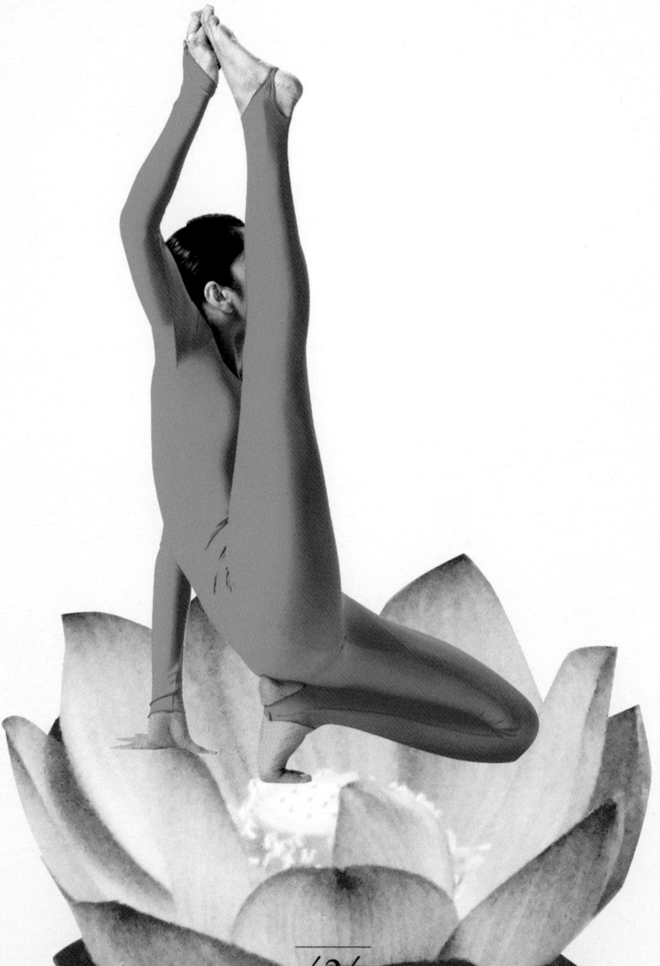

Ushtrasana
Camel Pose(Variation)
우쉬트라아사나
낙타 자세(변형)

Ushtrasana
Camel Pose(Variation)
우쉬트라아사나
낙타 자세(변형)

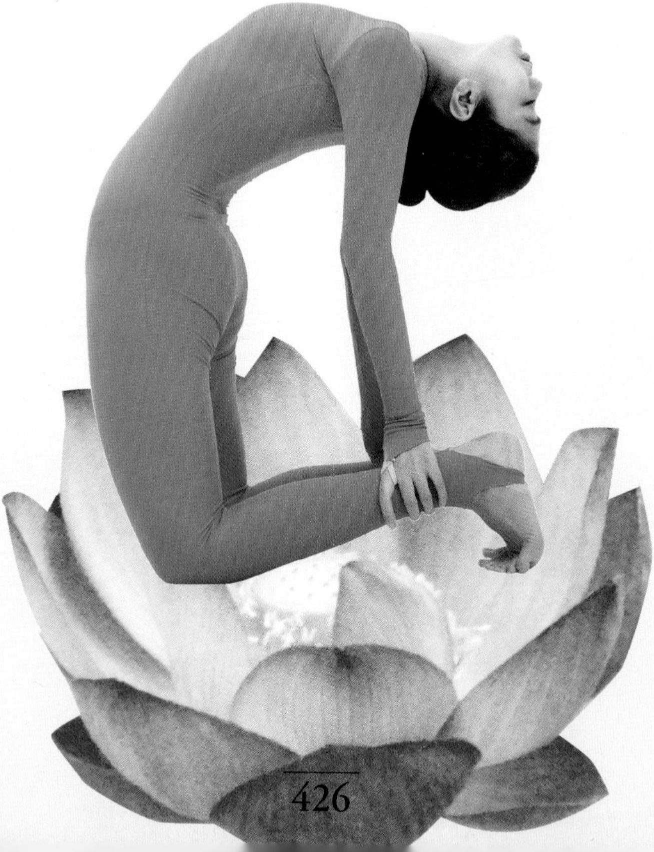

Ushtrasana
Camel Pose
우쉬트라아사나
낙타 자세

Kapotasana
Pigeon Pose(Preparation)
카포타아사나
비둘기 자세(준비)

비둘기 자세

자세는 척추에 혈액을 원활하게 순환시켜 척추 부위 전체를 진정시킨다. 흉부는 완전히 팽창되고, 횡격막이 올라가 심장이 부드럽게 마사지 되어기능이 강화된다. 골반 부위가 스트레칭 되어 생식기가 건강해진다.

Kapotasana
Pigeon Pose(Preparation)
카포타아사나
비둘기 자세(준비)

Asana No. 423

Kapotasana
Pigeon Pose(Preparation)
카포타아사나
비둘기 자세(준비)

Kapotasana
Pigeon Pose
카포타아사나
비둘기 자세

Laghu Chakrasana
Little Wheel Pose(Variation)
라구 샤크라아사나
작은 바퀴 자세(변형)

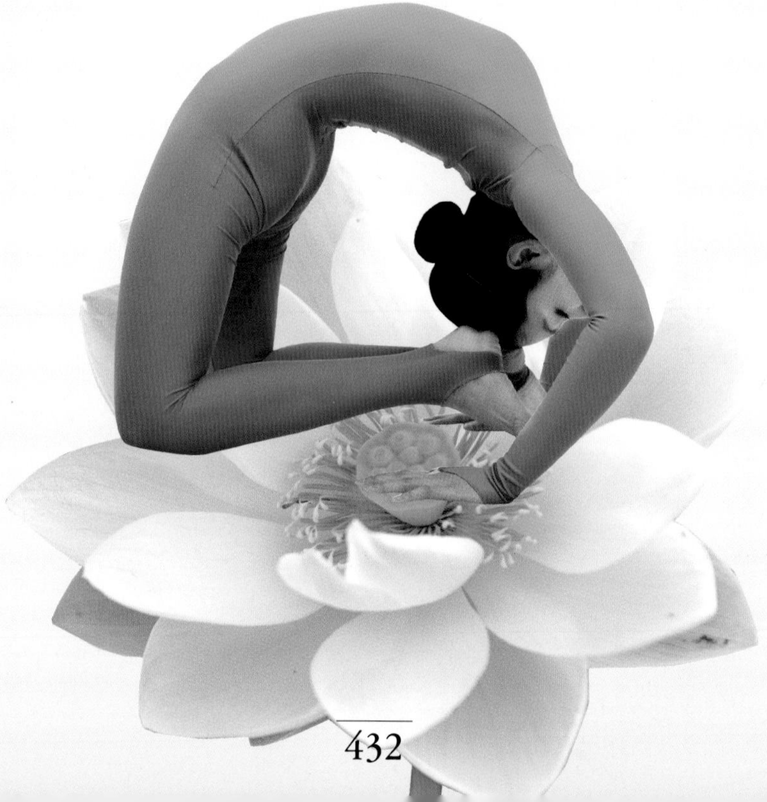

Laghu Chakrasana
Little Wheel Pose
라구 샤크라아사나
작은 바퀴 자세

Asana No. 427

Laghu Chakrasana
Little Wheel Pose(Variation)
라구 샤크라아사나
작은 바퀴 자세(변형)

Eka Pada Kapotasana
One-Leg Pigeon Pose(Preparation)
에카 파다 카포타아사나
한쪽 다리를 이용한 비둘기 자세(준비)

Asana No. 429

Eka Pada Kapotasana
One-Leg Pigeon Pose
에카 파다 카포타아사나
한쪽 다리를 이용한 비둘기 자세

Eka Pada Kapotasana
One-Leg Pigeon Pose(Variation)
에카 파다 카포타아사나
한쪽 다리를 이용한 비둘기 자세(변형)

Asana No. 431

Eka Pada Kapotasana
One-Leg Pigeon Pose(Variation)
에카 파다 카포타아사나
한쪽 다리를 이용한 비둘기 자세(변형)

Eka Pada Kapotasana
One-Leg Pigeon Pose(Variation)
에카 파다 카포타아사나
한쪽 다리를 이용한 비둘기 자세(변형)

Asana No. 433

Valakhilyasana
Pose of the Heavenly Spirits
발라키리야아사나
천상의 영혼 자세

천상의 영혼 자세

우아한 이 자세는 목, 어깨, 팔 팔목 근육들을 강화한다. 갑상선, 부갑상선, 부신, 부신, 생식선에 혈액을 풍부하게 공급받아 활기를 띄게 된다.

척추 아래 부분에 활력을 주고, 치부에 더 많은 혈액이 공급되어 건강한 상태로 유지된다.

이 자세를 계속 수행하면 방광의 장애를 바로잡을 수 있다.

Raja Valakhilyasana
Kingly Pose of the Heavenly Spirits
라자 발라키리야아사나
천상의 영혼의 왕 자세

Asana No. 435

Eka Pada Rajakapotasana
One-Leg King Pigeon Pose(Preparation)
에카 파다 라자카포타아사나
한쪽 다리를 이용한 왕 비둘기 자세(준비)

Eka Pada Rajakapotasana
One-Leg King Pigeon Pose
에카 파다 라자카포타아사나
한쪽 다리를 이용한 왕 비둘기 자세

Asana No. 437

Eka Pada Rajakapotasana
One-Leg King Pigeon Pose(Variation)
에카 파다 라자카포타아사나
한쪽 다리를 이용한 왕 비둘기 자세(변형)

Kapyasana
Monkey Pose
카피야아사나
원숭이 자세

Asana No. 439

Gaivasana
Chain Pose(Preparation)
가이바아사나
사슬 자세(준비)

Gaivasana
Chain Pose(Preparation)
가이바아사나
사슬 자세(준비)

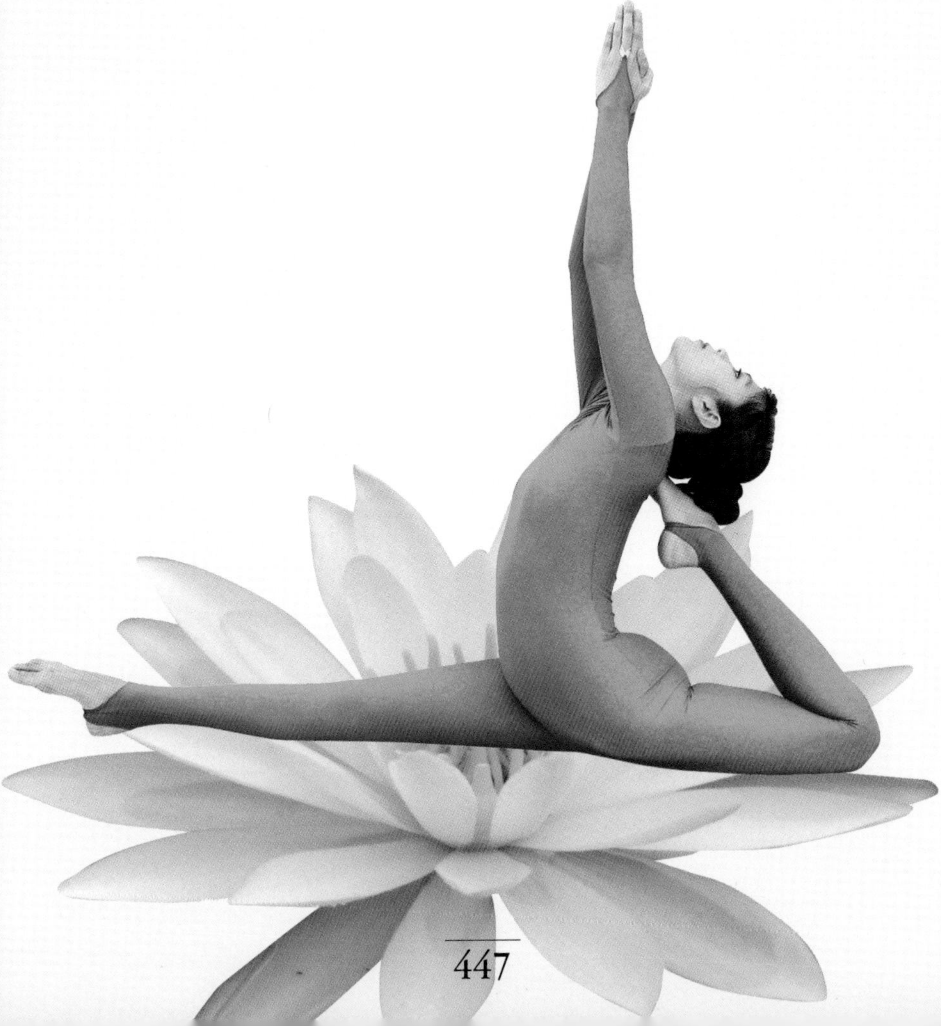

Asana No. 441

Gaivasana
Chain Pose(Preparation)
가이바아사나
사슬 자세(준비)

Gaivasana
Chain Pose(Variation)
가이바아사나
사슬 자세(변형)

Asana No. 443

Kuntasana
Spear Pose
쿤타아사나
창 자세

Kulphasana
Ankle Stretch Pose
쿨파아사나
발목 스트레칭 자세

Ganda Bherundasana
Bird Pose(Preparation)
간다 베룬다아사나
새 자세(준비)

천상조 자세

이 아사나는 신경 중추 및 그곳에 위치한 분비선들을 자극한다. 분비선에 혈액이 풍부하게 공급되어 기능이 향상되며, 활력이 증가한다. 복부내의 장기의 기능을 강화되고, 전신에 혈액순환을 원활히 하여 생기가 넘친다. 이아사나는 세 곳의 차크라를 각성시키는 대단히 중요한 자세이다. 물라다라 차크라(Muladhara Chakra)는 골반 신경총으로 남성은 전립선, 여성은 자궁경관의 기능을 강화한다.

스와디스타나 차크라(Swadhisthana Chakra 천골 신경총으로 생식과 배뇨기관의 기능을 촉진한다. 비슈디 차크라(Visuddhi Chakra) 경부 신경 총으로 갑상선 부갑상선 조음기관 기능을 강화하고, 침샘을 자극 항상 입안에 침이 넘쳐흐른다. 침은 건강의 척도로 건강에 이상이 있으면 침이 마르고 침이 쓰다. 단침이 풍부하다함은 회춘이 된다는 신호이다.

Asana No. 446

Ganda Bherundasana
Bird Pose
간다 베룬다아사나
새 자세

Asana No. 447

Ganda Bherundasana
Bird Pose(Side View)
간다 베룬다아사나
새 자세(옆모습)

Asana No. 448

Ganda Bherundasana
Bird Pose(Variation)
간다 베룬다아사나
새 자세(변형)

Asana No.449

Ganda Bherundasana
Bird Pose(Variation)
간다 베룬다아사나
새 자세(변형)

Ganda Bherundasana
Bird Pose(Variation)
간다 베룬다아사나
새 자세(변형)

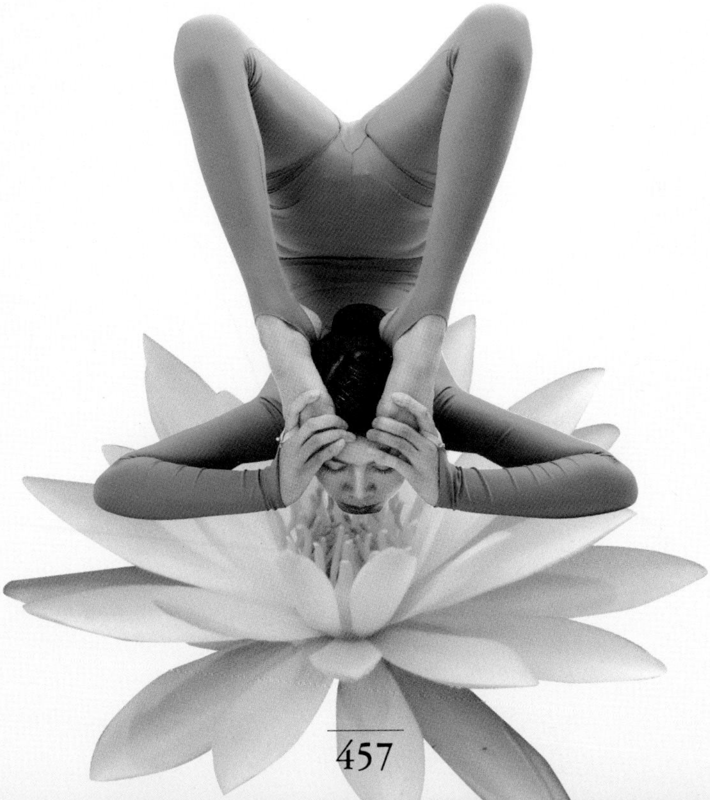

Ganda Bherundasana
Bird Pose(Variation)
간다 베룬다아사나
새 자세(변형)

Shalabhasana
Locust Pose(Preparation)
샬라바아사나
메뚜기 자세(준비)

메뚜기 자세

이 아사나의 목적은 인체 내 신성한 우주 에너지(Divine Cosmic Energy) 쿤다리니(Kundalini)를 일깨우는 데에 있다. 쿤다리니는 척추 하부의 가장 아래의 신경 중추에서 꼬리를 튼 채로 잠자고 있다.

요가(Yoga)는 수행을 통해 잠자는 우주 에너지를 깨워 척추의 영적 에너지의 통로인 수슘나를 타고 사하스라라(Sahasrara)로 올라가도록 의식적인 노력을 한다. 사하스라라는 뇌의 상부의 신경 중추에 위치한 천개의 꽃잎이 달린 연꽃으로 묘사된다. 그리고 속세로부터 해방되기 위해 모든 에너지를 신성의 원천(Divine Source)에 집중하여 자아를 가라앉힌다. 강이 바다로 흘러 이름과 형태를 잃듯이 현명한 요기는 이름과 형상을 잃고 신의 세계에 들어가 본성은 찬란한 빛을 발한다.

Asana No.453

Shalabhasana
Locust Pose
샬라바아사나
메뚜기 자세

Viparita Shalabhasana
Inverted Locust Pose(Variation)
비파리타 샤랄바아사나
뒤바뀐 메뚜기 자세(변형)

Viparita Shalabhasana
Inverted Locust Pose(Variation)
비파리타 샤랄바아사나
뒤바뀐 메뚜기 자세(변형)

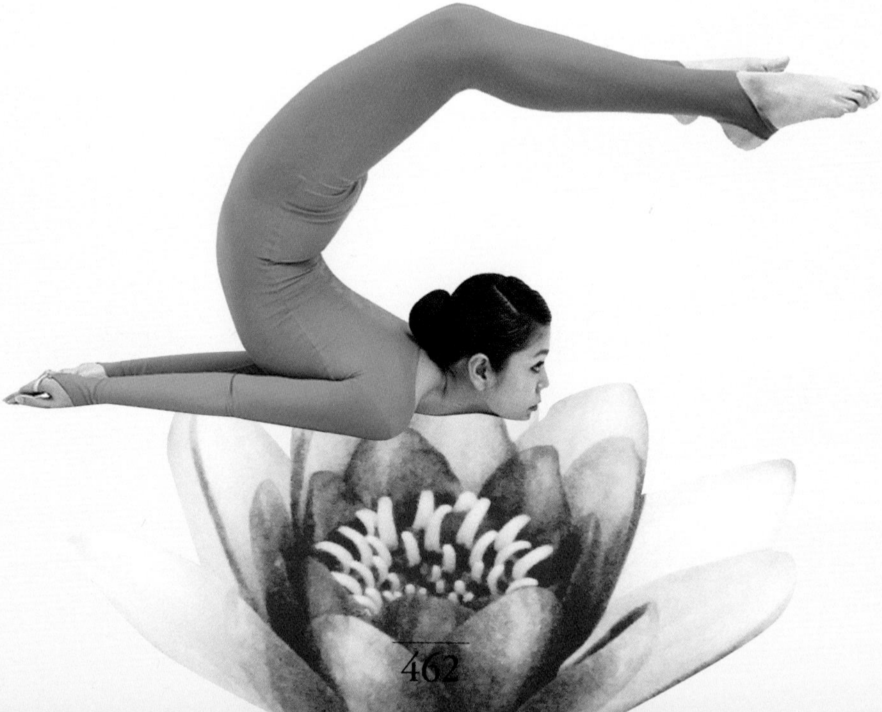

Asana No.456

Viparita Shalabhasana
Inverted Locust Pose
비파리타 샤랄바아사나
뒤바뀐 메뚜기 자세

Asana No.457

Viparita Shalabhasana
Inverted Locust Pose(Variation)
비파리타 샤랄바아사나
뒤바뀐 메뚜기 자세(변형)

Viparita Shalabhasana
Inverted Locust Pose(Variation)
비파리타 샤랄바아사나
뒤바뀐 메뚜기 자세(변형)

Urdhva Dhanurasana
Raised Bow Pose(Preparation)
우르드바 다누라아사나
들어 올린 활 자세(준비)

활 자세

뇌하수체, 순과선, 갑상선의 기능을 촉진하고, 혈액순환을 활발히 하여 동맥경화를 예방한다. 뇌는 고요하고 마음은 안정되며, 몸은 기민하고 유연해지며 척추를 좌우로 흐르는 이다, 핑갈라와 중심을 흐르는 수슘나 나디의 에너지 흐름을 원활하도록 돕는다. 척추를 완전히 스트레칭 하여 진정시키며, 복부의 장기와 골반의 장기를 튼튼히 한다. 생리통, 생리과다 출혈을 방지, 자궁탈수를 예방, 어깨, 등, 팔, 손목이 강화되고 활력이 넘치게 된다.

Urdhva Dhanurasana
Raised Bow Pose
우르드바 다누라아사나
들어 올린 활 자세

Asana No.461

Eka Pada Urdhva Dhanurasana
One-Leg Raised Bow Pose(Preparation)
에카 파다 우르드바 다누라아사나
한쪽 다리를 들어 올린 활 자세(준비)

Asana No.462

Eka Pada Urdhva Dhanurasana
One-Leg Raised Bow Pose
에카 파다 우르드바 다누라아사나
한쪽 다리를 들어 올린 활 자세

Asana No.463

Eka Pada Urdhva Dhanurasana
One-Leg Raised Bow Pose
에카 파다 우르드바 다누라아사나
한쪽 다리를 들어 올린 활 자세

Eka Pada Urdhva Dhanurasana
One-Leg Raised Bow Pose(Variation)
에카 파다 우르드바 다누라아사나
한쪽 다리를 들어 올린 활 자세(변형)

Himalayasana
Himalaya Pose(Preparation)
히말라야아사나
히말라야 자세(준비)

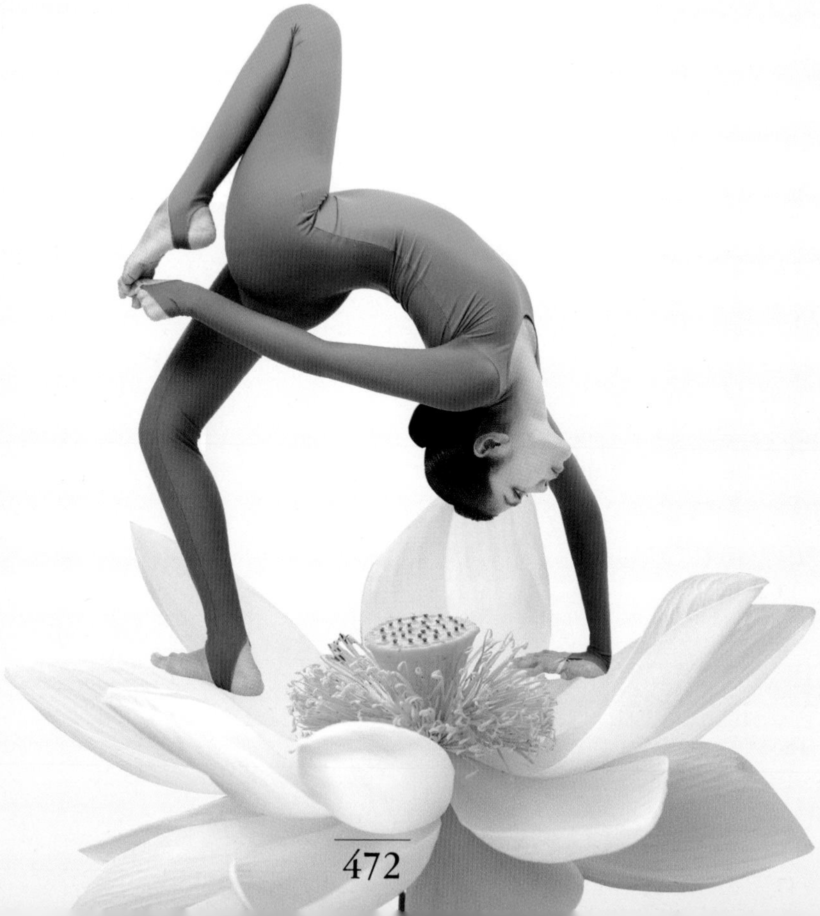

Chakrasana
Wheel Pose(Preparation)
샤크라아사나
바퀴 자세(준비)

Asana No.467

Chakrasana
Wheel Pose
샤크라아사나
바퀴 자세

Arm Balancing Poses

팔 균형 자세

Hansasana
Swan Pose
한사아사나
백조 자세

Mayurasana
Peacock Pose
마유라아사나
공작 자세

공작 자세

팔꿈치가 복부 대동맥에 압력을 강하여 혈액이 복부 장기에 원활하게 순환된다. 위장, 비장, 간장의 기능은 향상되며, 인체에 독소가 쌓이는 것을 방지한다. 혈당이 높은 당뇨환자의 증상은 원화한다. 팔꿈치, 팔뚝, 손목이 발달하고 강화된다. 마니푸라 차크라(Manipura Chakra)를 각성시키는 아사나이다.

Mayurasana
Peacock Pose(Variation)
마유라아사나
공작 자세(변형)

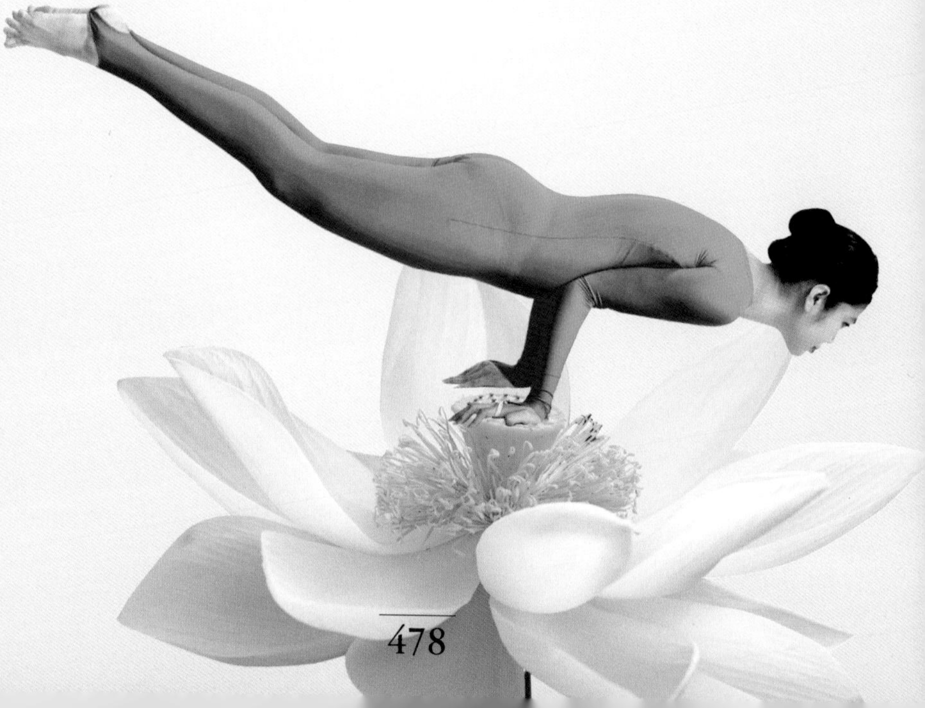

Mayurasana
Peacock Pose(Variation)
마유라아사나
공작 자세(변형)

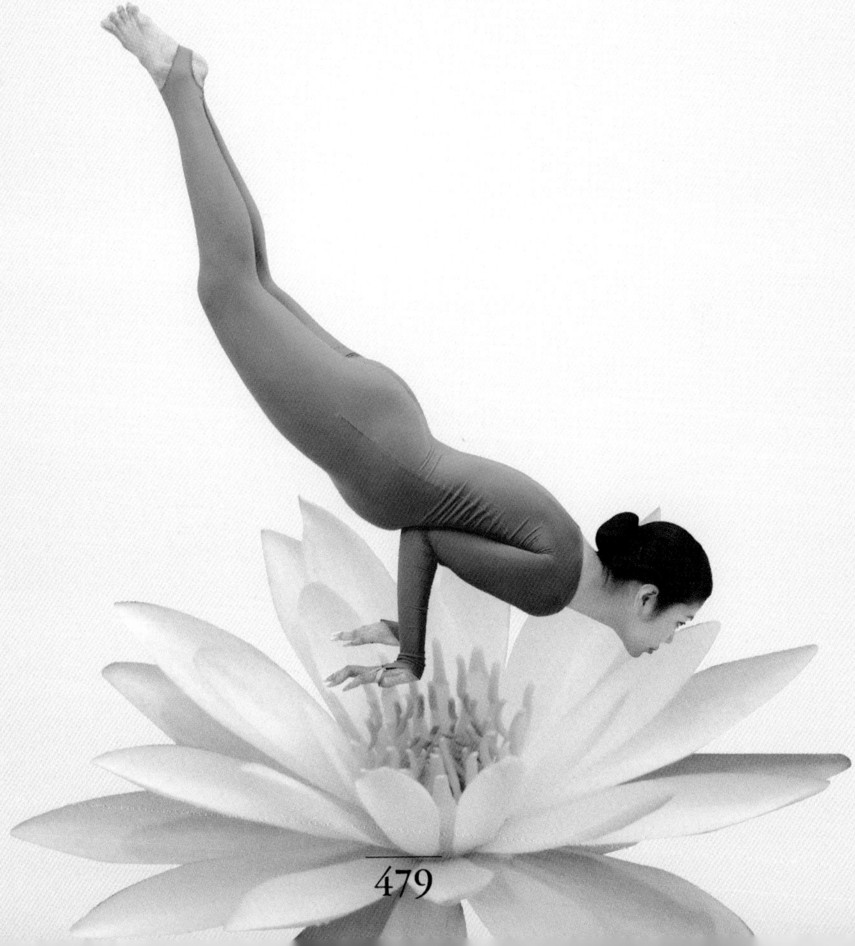

Asana No.472

Padma Mayurasana
Lotus Peacock Pose(Variation)
파드마 마유라아사나
연꽃 공작 자세(변형)

Kakasana
Crow Pose
카카아사나
까마귀 자세

까마귀 자세

- 팔, 팔목, 어깨를 튼튼하게 하여 상체의 인대, 관절, 힘줄에 스트레칭 효과를 주고 유연하게 해준다.
- 가슴 부위를 쫙 펴주고 호흡 기능을 강화하고 손과 손목, 팔뚝의 신경과 근육에 활력을 준다.
- 각종 힘든 일을 잘 할 수 있도록 가슴 부위와 팔을 강화시킨다.
- 모든 다른 균형 잡는 자세처럼 까마귀 자세는 집중력을 요구하며 따라서 집중력이 향상된다.
- 무기력을 제거하고. 새롭게 찾은 에너지가 어깨와 팔로 흘러들게 한다.
- 침착성과 정신적 균형, 의식을 각성시키며, 내적 균형감을 발달시킨다.
- 명상을 할 수 있도록 마음을 단련시킨다.

Asana No.474

Bakasana
Crane Pose(Variation)
바카아사나
두루미 자세(변형)

Asana No.475

Bakasana
Crane Pose(Variation)
바카아사나
두루미 자세(변형)

Bakasana
Crane Pose(Variation)
바카아사나
두루미 자세(변형)

Vakrasana
Crooked Pose
바크라아사나
비틀기 자세

Asana No.478

Dwi Pada Koundinyasana
Two-Leg Pose of the Sage Koundinya (Preparation)
드위 파다 쿤디냐아사나
현인 쿤디냐의 양 다리 자세(준비)

Dwi Pada Koundinyasana
Two-Leg Pose of the Sage Koundinya
드위 파다 쿤디냐아사나
현인 쿤디냐의 양 다리 자세

Asana No.480

Galavasana
Pose of the Sage Galava
갈라바아사나
현인 갈라바의 자세

성자 봉헌 자세

이 자세를 지속적으로 연습하면 팔목과 복부의 장기가 더욱 더 강해지고 복부의 외측 근육이 또한 발달한다. 척추는 더욱 더 유연해지고 목과 어깨의 힘을 기를 수 있다. 이 자세는 시르사사나(184번), 파드마사나(104번), 파스치모타나사나(160번)의 복합적인 효과를 갖는다.

Asana No.481

Eka Pada Galavasana
One-Leg Pose of the Sage Galava
(Preparation)
에카 파다 갈라바아사나
현인 갈라바의 한쪽 다리 자세(준비)

Canha Yoga

Eka Pada Galavasana II
One-Leg Pose of the Sage Galava II
(Preparation)
에카 파다 쿤디냐아사나 II
현인 쿤디냐의 한쪽 다리 자세 II (준비)

Asana No.483

Eka Pada Galavasana II
One-Leg Pose of the Sage Galava II
에카 파다 쿤디냐아사나 II
현인 쿤디냐의 한쪽 다리 자세 II

Eka Pada Bakasana
One-Leg Crane Pose(Preparation)
에카 파다 바카아사나
한쪽 다리 두루미 자세(준비)

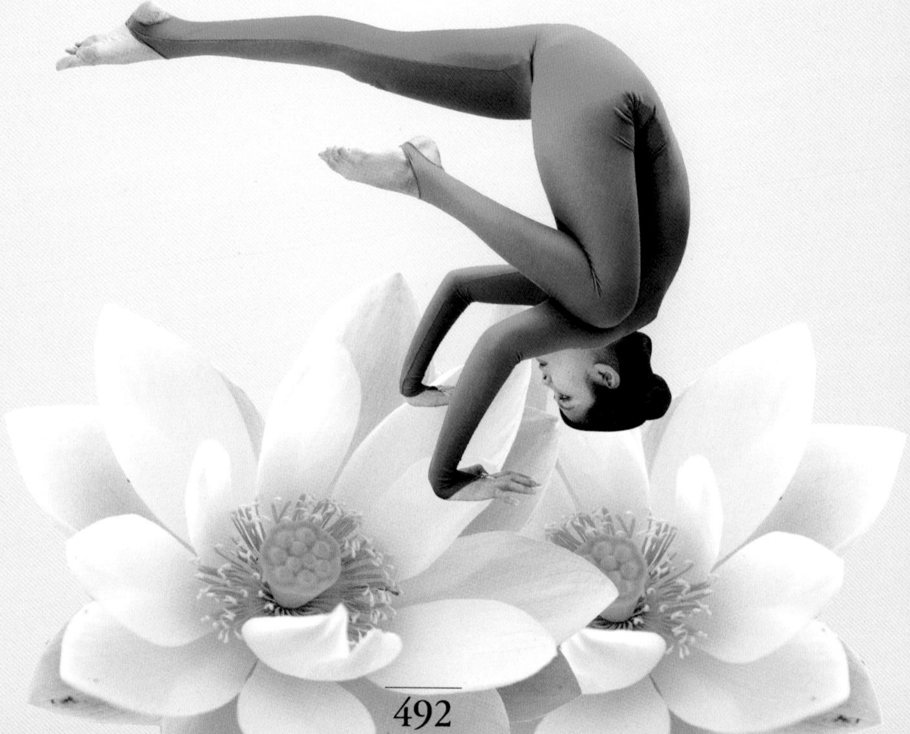

Eka Pada Bakasana
One-Leg Crane Pose
에카 파다 바카아사나
한쪽 다리 두루미 자세

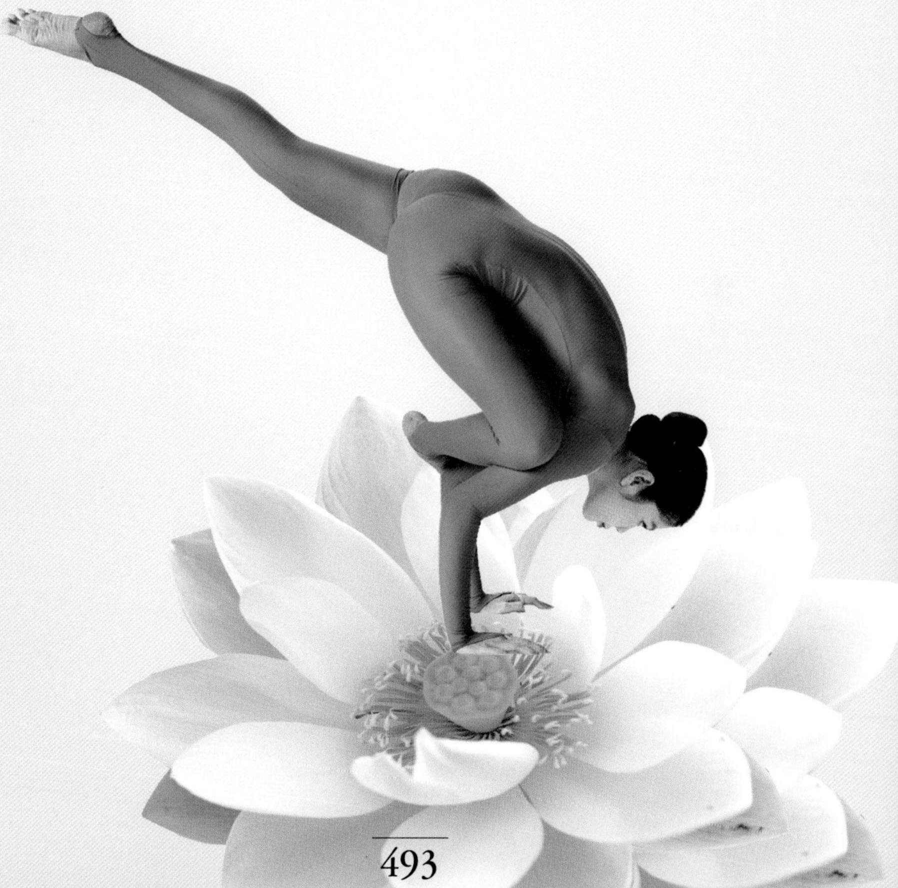

Urdhva Kukkutasana
Raised Cock Pose(Preparation)
우르드바 쿠쿠타아사나
들어 올린 수탉 자세(준비)

수닭 자세

척추가 완벽하게 스트레칭 되며 파스치모타나사나(160번)의 효과는 매우 단시간에 얻어진다. 팔과 복강 내 기관(장기)가 강해진다.

이 모든 난해하고 어려운 자세들은 단순한 자세들보다 빠른 결과를 가져온다. 몸이 유연하고 잘 휘어질 때 단순한 포즈로는 별로 효과가 없거나 전혀 효과를 볼 수가 없다. 따라서 현명한 사람이라면 단순한 포즈를 버리고 복잡한 포즈를 연습한다. 이는 이미 학자의 경지에 오른 사람이 매일 알파벳을 반복적으로 공부하지 않는 것과 같은 이치이다. 그러나 춤꾼들이 매일 어떤 기본 스텝들을 연습하면서 이를 저버리지 않는 것과 같이 요가 수련생들 또한 시르사사나(184~218번)와 사르반가사나를 자신의 사이클에 맞춰 매일 계속적으로 연습해야 한다.

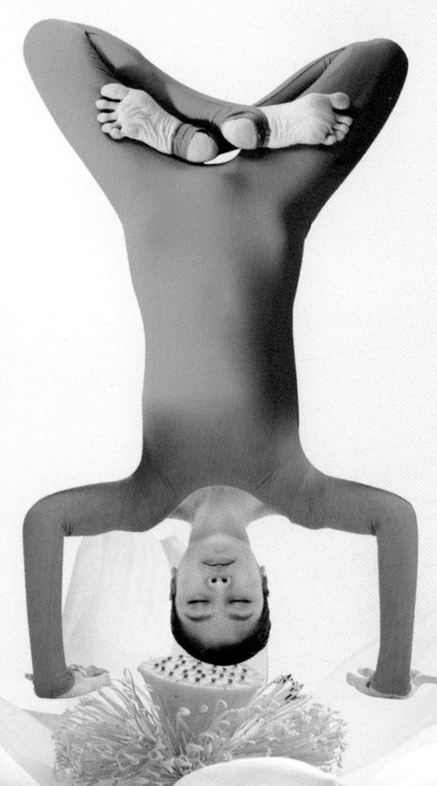

Asana No.487

Urdhva Kukkutasana
Raised Cock Pose(Preparation)
우르드바 쿠쿠타아사나
들어 올린 수탉 자세(준비)

Urdhva Kukkutasana
Raised Cock Pose(Front View)
우르드바 쿠쿠타아사나
들어 올린 수탉 자세(앞모습)

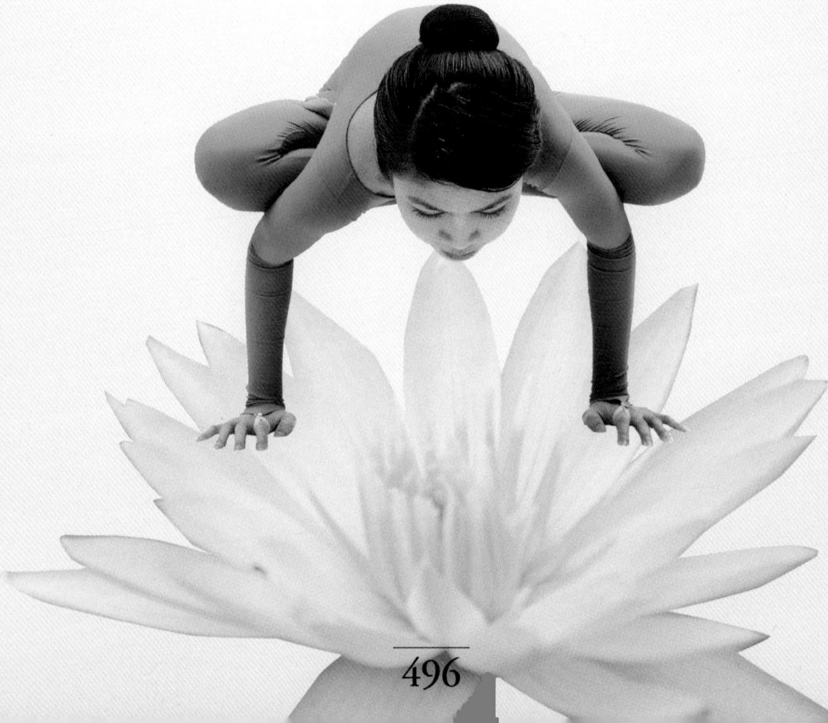

Urdhva Kukkutasana
Raised Cock Pose(Rear View)
우르드바 쿠쿠타아사나
들어 올린 수탉 자세(뒷모습)

Asana No.490

Parshva Kukkutasana
Side Cock Pose(Preparation)
파르쉬바 쿠쿠타아사나
측면 수탉 자세(준비)

기울기 수닭 자세

우르드흐바 쿠쿠타사나에서 이 변화된 자세를 통해 척추의 측면이 휘어지고 자세가 교정된다. 가슴과 팔과 복근과 장기가 더욱 더 강화되고 생명력이 증가한다.

Parshva Kukkutasana
Side Cock Pose
파르쉬바 쿠쿠타아사나
측면 수탉 자세

Omkarasana
Om Pose(Variation)
옴카라아사나
옴 자세(변형)

Bhujapidasana
Squeeze the Shoulders Pose(Preparation)
부자피다아사나
어깨 집어넣기 자세(준비)

Asana No.494

Bhujapidasana
Squeeze the Shoulders Pose(Front View)
부자피다아사나
어깨 집어넣기 자세(앞모습)

Asana No.495

Bhujapidasana
Squeeze the Shoulders Pose(Side View)
부자피다아사나
어깨 집어넣기 자세(옆모습)

Asana No.496

Bhujapidasana
Squeeze the Shoulders Pose(Variation)
부자피다아사나
어깨 집어넣기 자세(변형)

Bhujapidasana
Squeeze the Shoulders Pose(Rear View)
부자피다아사나
어깨 집어넣기 자세(뒷모습)

Asana No.498

Tittibhasana
Firefly Pose (Side View)
티띠바아사나
개똥벌레 자세(옆모습)

Tittibhasana
Firefly Pose
티띠바아사나
개똥벌레 자세

Raja Kurmasana
King Tortoise Pose(Front View)
라자 쿠르마아사나
왕 거북이 자세(앞모습)

왕 거북이 자세

거북이(Curma)는 우주를 창조한 비쉬누(Vishnu)의 신성한 환생이다.

외부의 모든 감각 대상은 고통의 원인이 되는 올가미이다. 이 자세는 푸라탸하라(Pratyahara)로, 거북이가 사지를 덮개 안으로 잡아당겨 감추듯, 집중을 통하여 외부대상으로부터 감각을 분리시켜 의식으로 감각을 완전히 통제하는 수행이다.

사지를 끌어 들여 몸을 거북이처럼 만들면 신경은 안정되어 뇌는 고요하고 기쁨과 슬픔에 흔들리지 않고, 마음은 평정을 찾는다. 이 자세를 계속 수행하면 고통과 불안으로부터 자유로워 질것이며, 쾌락의 열정에 무관심하게 될 것이다. 두려움이 자신감으로 변환되며, 불같은 분노의 감정이 마음속에서 사라져 재가 될 것이다.

신체적인 차원은 척추를 더욱 유연해지고, 강화된다. 복부의 모든 장기를 활성화하여 독소가 쌓이는 것을 방지한고, 인체를 더욱 활기차고 생기가 충만 젊음을 되찾을 것이다.

Raja Kurmasana
King Tortoise Pose(Side View)
라자 쿠르마아사나
왕 거북이 자세(옆모습)

Raja Kurmasana
King Tortoise Pose(Variation)
라자 쿠르마아사나
왕 거북이 자세(변형)

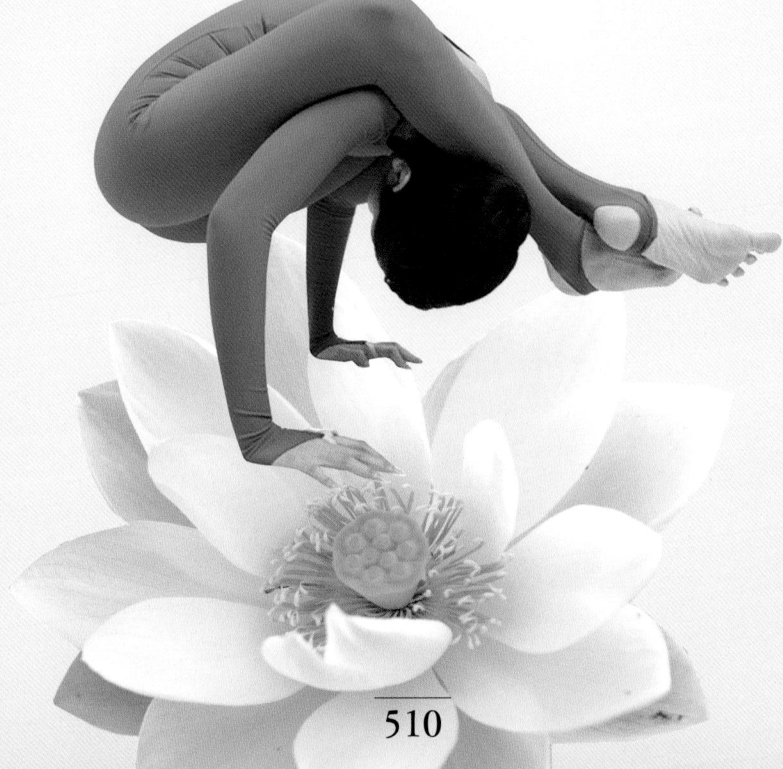

Asana No.503

Raja Kurmasana
King Tortoise Pose(Variation)
라자 쿠르마아사나
왕 거북이 자세(변형)

Asana No.504

Raja Kurmasana
King Tortoise Pose(Variation)
라자 쿠르마아사나
왕 거북이 자세(변형)

Lolasana
Pendulum Pose
로라아사나
시계추 자세

Kulphasana
Ankle Stretch Pose
쿨파아사나
발목 스트레칭 자세

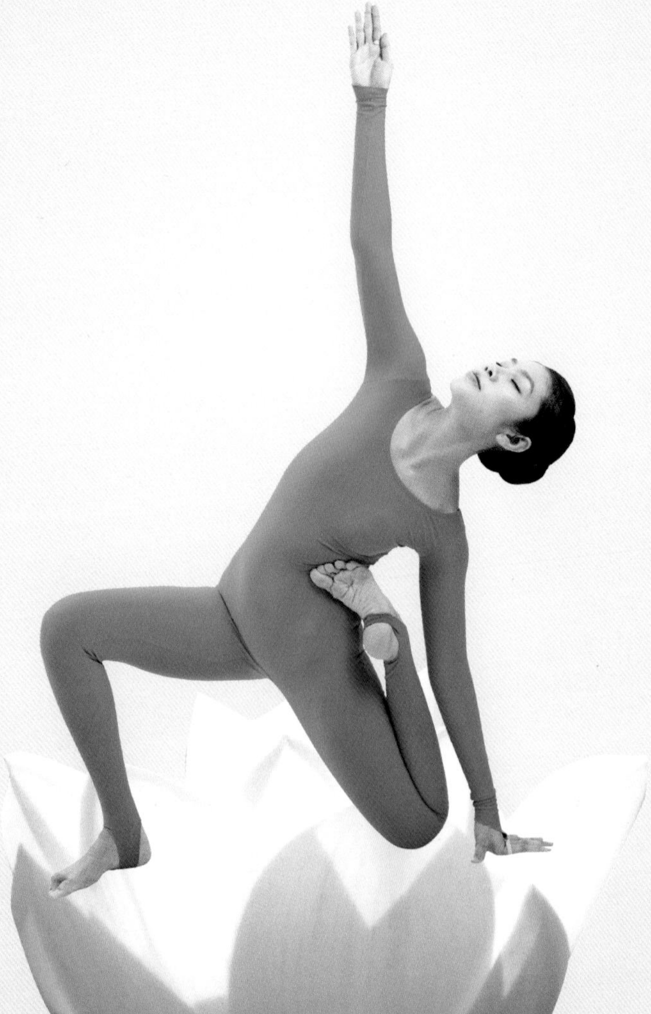

Vasishthasana
Pose of the Sage Vasishtha(Preparation)
바시슈타아사나
현인 바시슈타의 자세(준비)

Asana No.508

Vasishthasana
Pose of the Sage Vasishtha(Preparation)
바시슈타아사나
현인 바시슈타의 자세(준비)

Vasishthasana
Pose of the Sage Vasishtha(Preparation)
바시슈타아사나
현인 바시슈타의 자세(준비)

Vasishthasana
Pose of the Sage Vasishtha
바시슈타아사나
현인 바시슈타의 자세

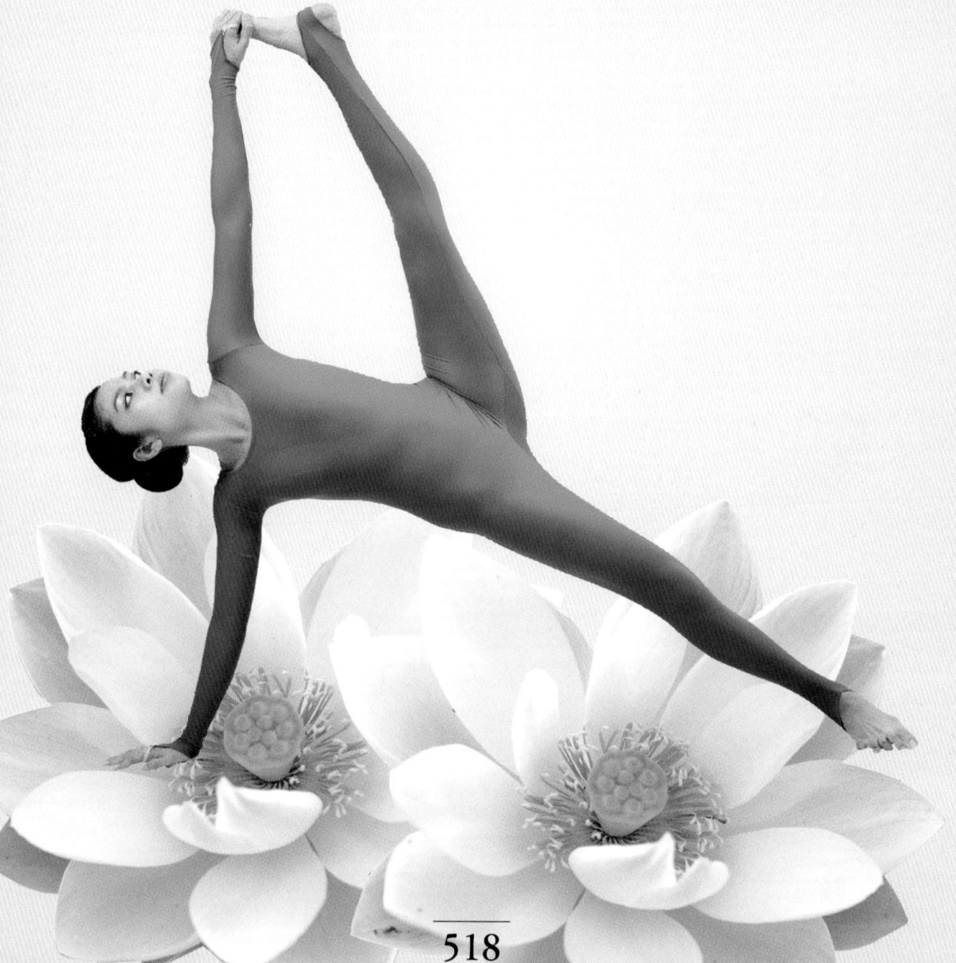

Kala Bhairavasana
Shiva Pose(Preparation)
카라 바이라바아사나
시바 자세(준비)

Kala Bhairavasana
Shiva Pose
카라 바이라바아사나
시바 자세

Kala Bhairavasana
Shiva Pose(Variation)
카라 바이라바아사나
시바 자세(변형)

Asana No.514

Vishvamitrasana
Pose of the Sage Vishvamitra(Preparation)
비슈바미트라아사나
현인 비슈바미트라의 자세(준비)

Vishvamitrasana
Pose of the Sage Vishvamitra(Preparation)
비슈바미트라아사나
현인 비슈바미트라의 자세(준비)

Vishvamitrasana
Pose of the Sage Vishvamitra
비슈바미트라아사나
현인 비슈바미트라의 자세

Kashyapasana
Pose of the Sage Kashyapa
카샤파아사나
현인 카샤파의 자세

Kashyapasana
Pose of the Sage Kashyapa(Rear View)
카샤파아사나
현인 카샤파의 자세(뒷모습)

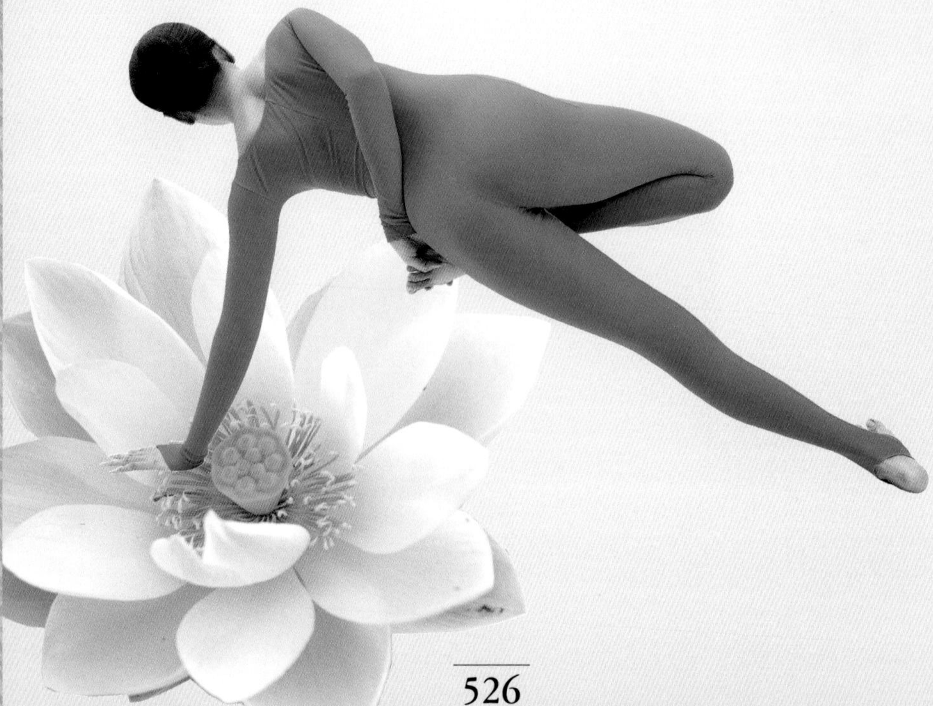

Kapinjalasana
Raindrop-Drinking Bird Pose
카핀잘라아사나
빗방울을 마시는 새의 자세

메추리 자세

이 자세에서는 손목이 강화되며 견갑골을 완전히 운동시켜 어깨 관절의 뻐근함이 해소된다. 다리는 진정되며 모든 척추 뼈에 도움이 된다. 흉부는 완전히 팽창하며 복부 근육은 강화된다. 본 좌법은 몸 전체를 건강하게 유지하는데 에 도움이 된다.

Kapinjalasana
Raindrop-Drinking Bird Pose(Variation)
카핀잘라아사나
빗방울을 마시는 새의 자세(변형)

Canha Yoga

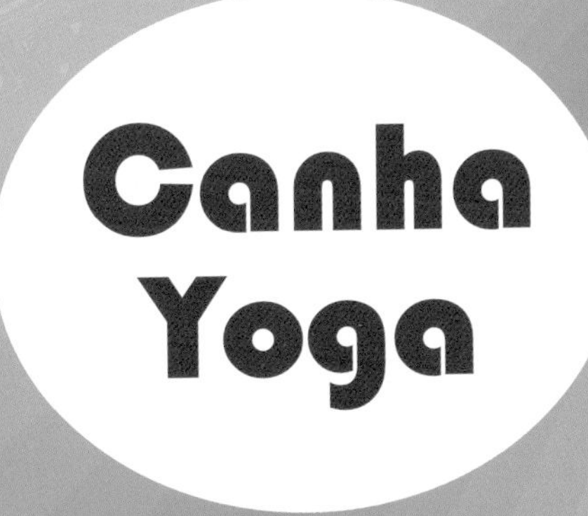

Twists & Seated Poses

척추 비틀기 자세

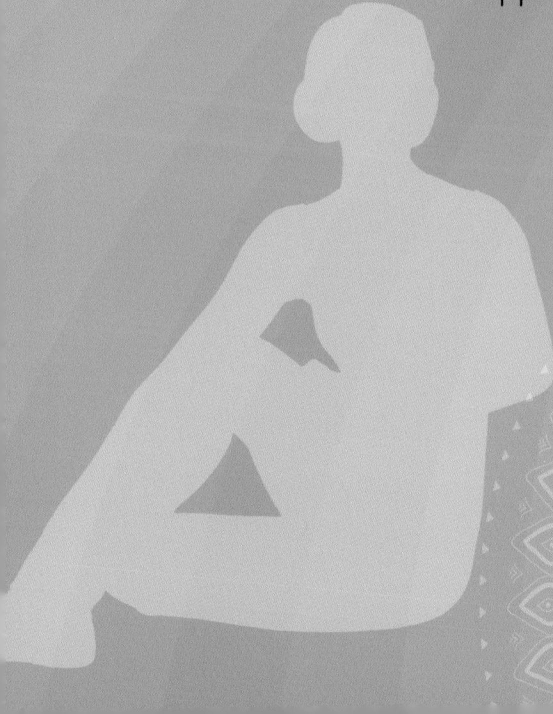

Sukha Matsyendrasana
Easy Spinal Twist(Preparation)
수카 마첸드라아사나
쉬운 척추 비틀기(준비)

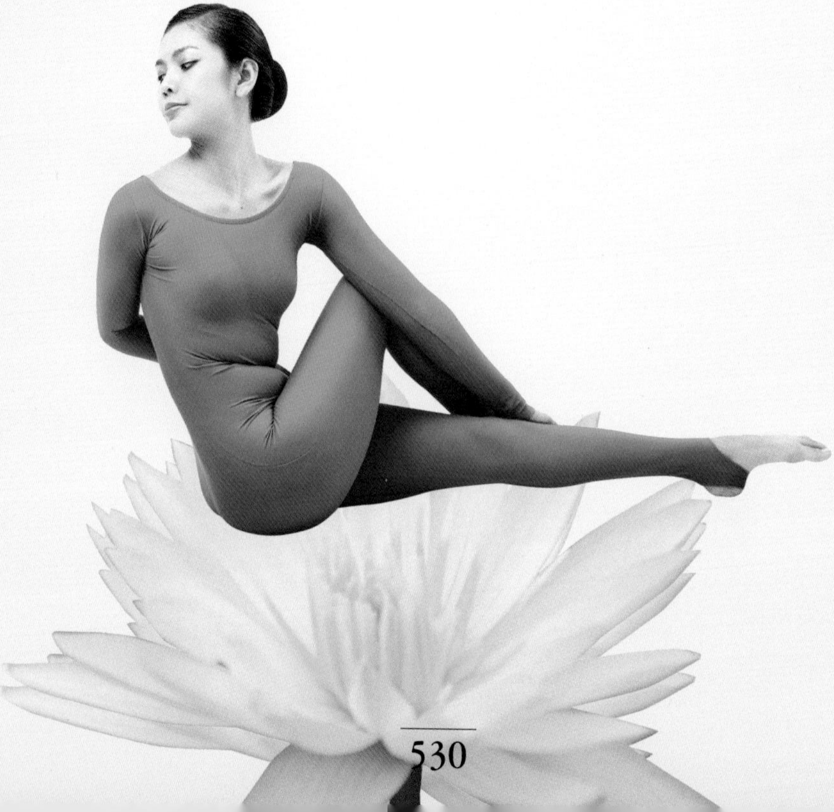

Sukha Matsyendrasana
Easy Spinal Twist
수카 마첸드라아사나
쉬운 척추 비틀기

Ardha Matsyendrasana
Half Spinal Twist(Preparation)
아르다 마첸드라아사나
반 척추 비틀기(준비)

Ardha Matsyendrasana
Half Spinal Twist
아르다 마첸드라아사나
반 척추 비틀기

Ardha Matsyendrasana
Half Spinal Twist(Rear View)
아르다 마첸드라아사나
반 척추 비틀기(뒷모습)

Paripurna Matsyendrasana
Full Spinal Twist(Preparation)
파리푸르나 마첸드라아사나
완성 척추 비틀기

MarichyasanaⅢ
Pose of the Sage MarichiⅢ(Preparation)
마리챠아사나Ⅲ
현인 마리치의 자세Ⅲ(준비)

Marichyasana III
Pose of the Sage Marichi III
마리챠아사나 III
현인 마리치의 자세 III

Asana No. 529

MarichyasanaⅣ
Pose of the Sage MarichiⅣ(Preparation)
마리챠아사나Ⅳ
현인 마리치의 자세Ⅳ(준비)

MarichyasanaⅣ
Pose of the Sage MarichiⅣ
마리챠아사나Ⅳ
현인 마리치의 자세Ⅳ

Asana No. 531

Bharadvajasana
Pose of the Sage Warrior Bharadvaja
(Preparation)
바라드바자아사나
현인 전사 바라드바자의 자세(준비)

Bharadvajasana
Pose of the Sage Warrior Bharadvaja
바라드바자아사나
현인 전사 바라드바자의 자세

Bharadvajasana
Pose of the Sage Warrior Bharadvaja (Rear View)

바라드바자아사나

현인 전사 바라드바자의 자세(뒷모습)

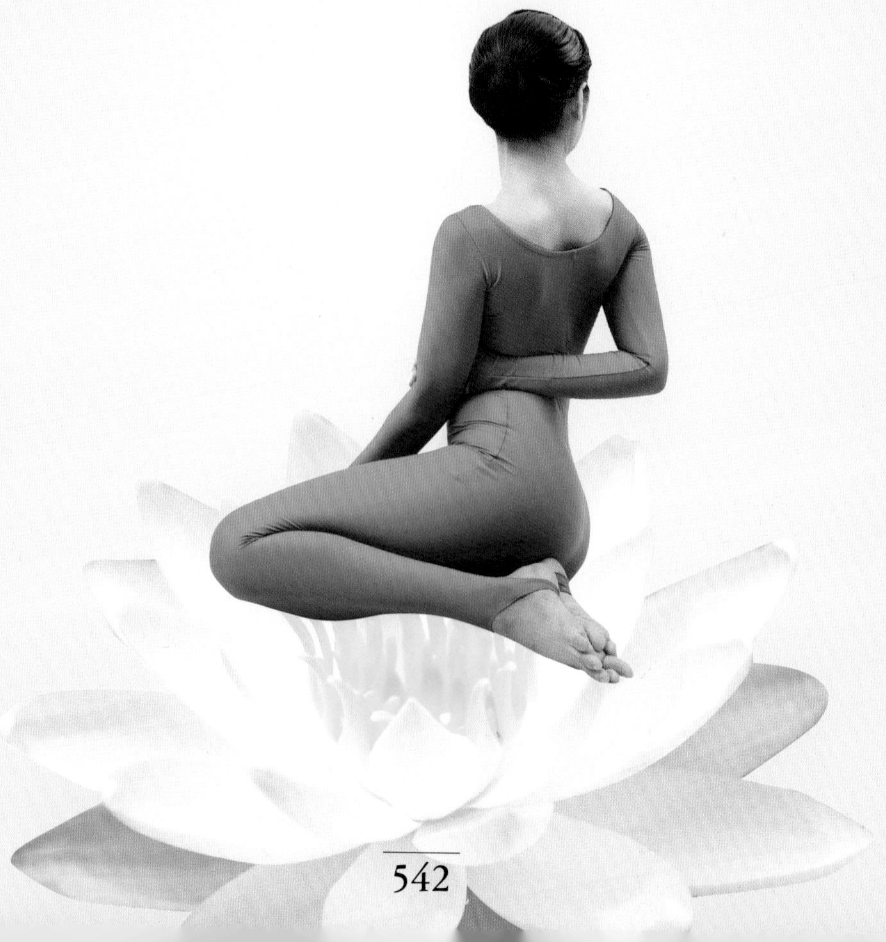

Vamadevasana
Pose of the Sage Vamadeva(Preparation)
바마데바아사나
현인 바마데바의 자세(준비)

Asana No. 535

Vamadevasana
Pose of the Sage Vamadeva
바마데바아사나
현인 바마데바의 자세

Asana No.536

Prapada Matsyendrasana
Spinal Twist in Tiptoe Pose
프라파다 마첸드라아사나
발끝 자세에서 척추 비틀기

Pashasana
Noose Pose(Rear View)
파샤아사나
올가미 자세(뒷모습)

Virasana
Hero Pose(Preparation)
비라아사나
영웅 자세(준비)

Virasana
Hero Pose
비라아사나
영웅 자세

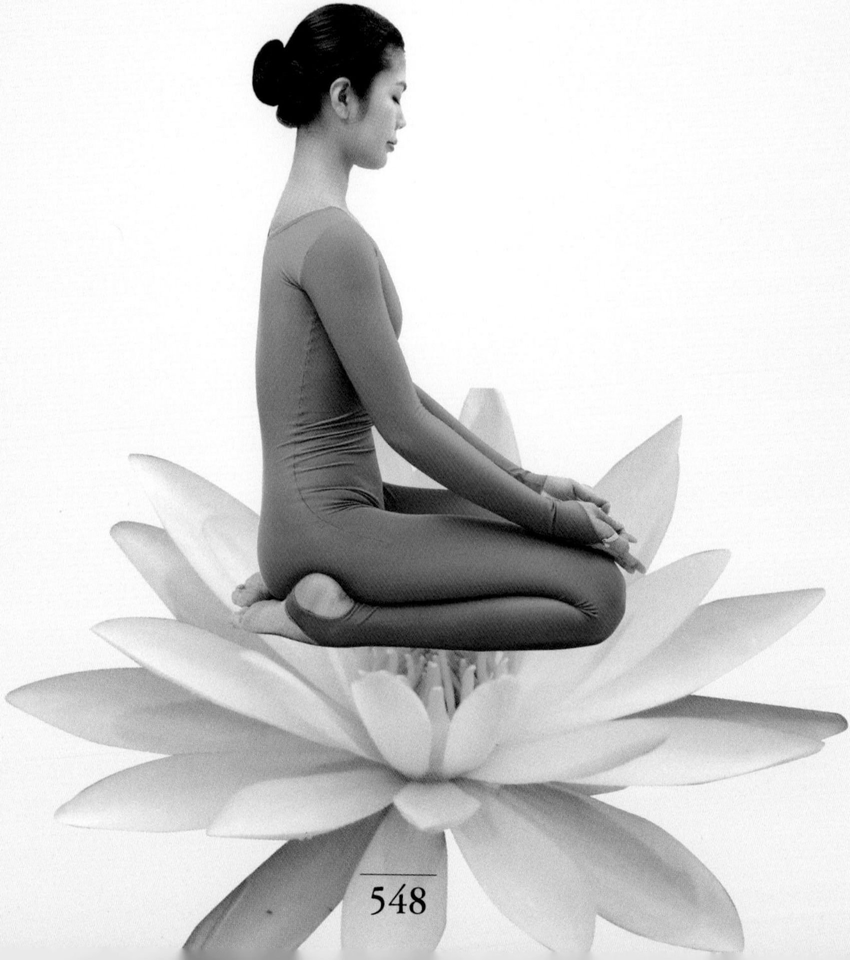

Virasana
Hero Pose
비라아사나
영웅 자세

Simhasana
Lion Pose
심하아사나
사자 자세

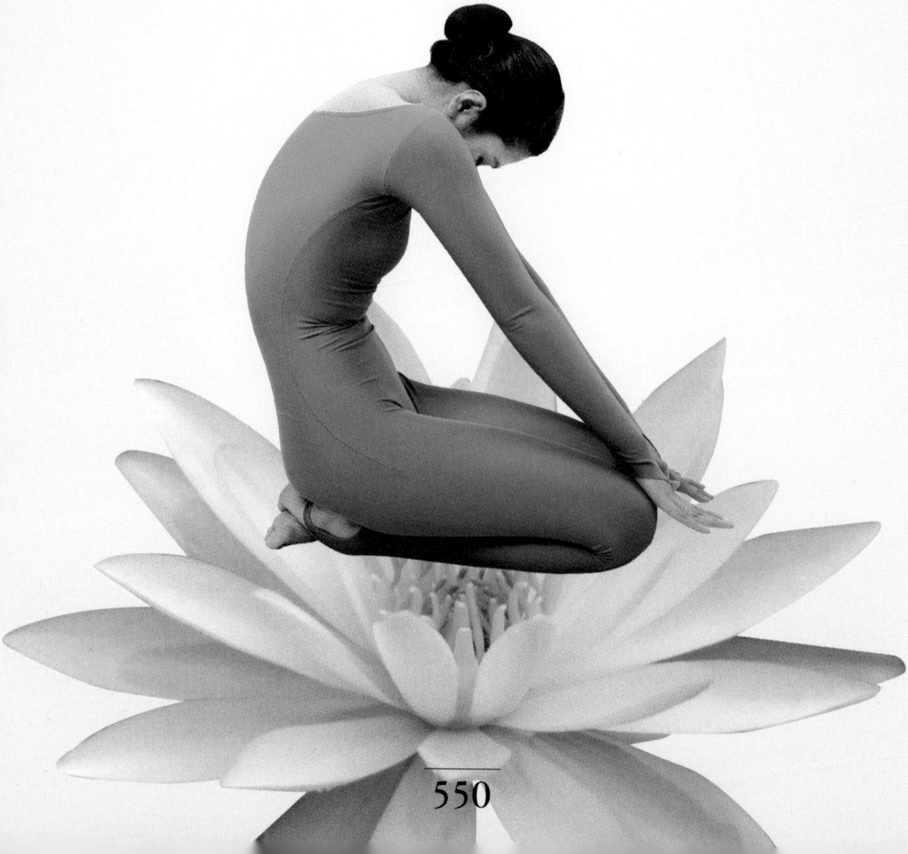

Mandukasana
Frog Pose
만두카아사나
개구리 자세

Sukhasana
Easy Pose
수카아사나
쉬운 자세

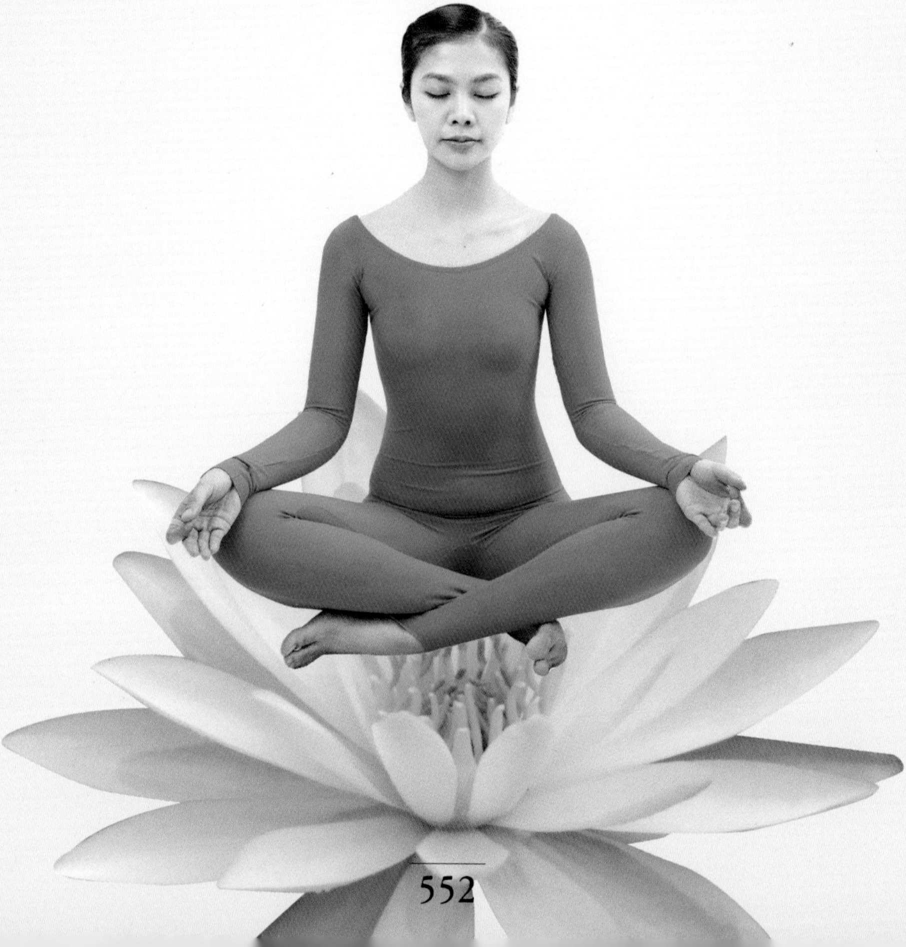

Siddhasana
Accomplished Pose
싯다아사나
달인 자세

Ardha Padmasana
Half-Lotus Pose
아르다 파드마아사나
반 연꽃 자세

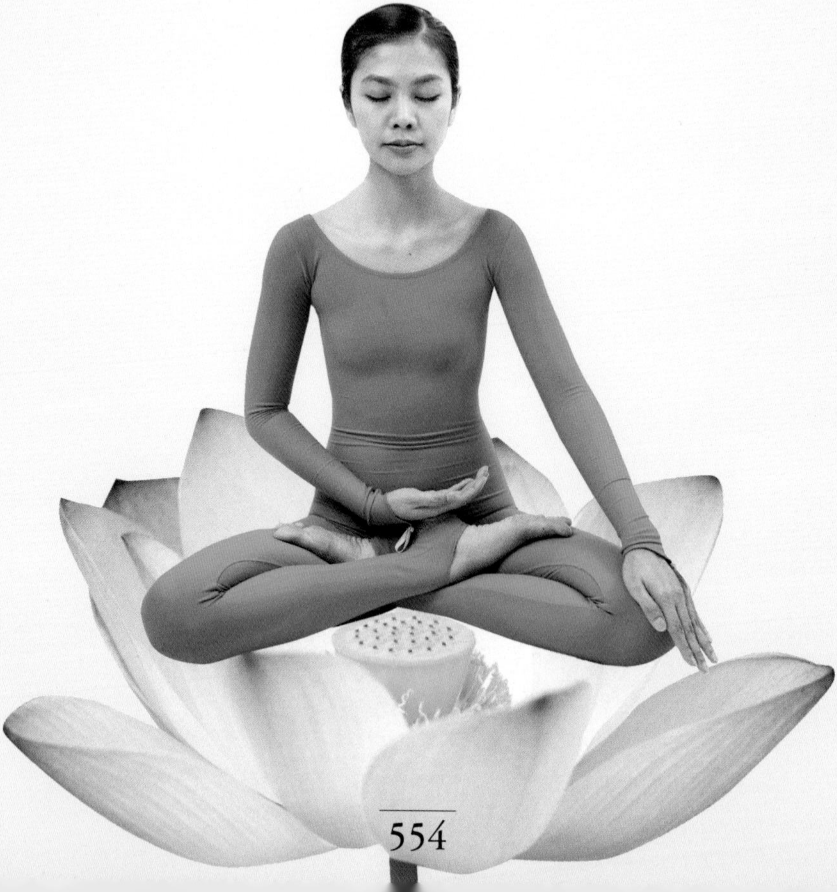

Padmasana
Lotus Pose
파드마아사나
연꽃 자세

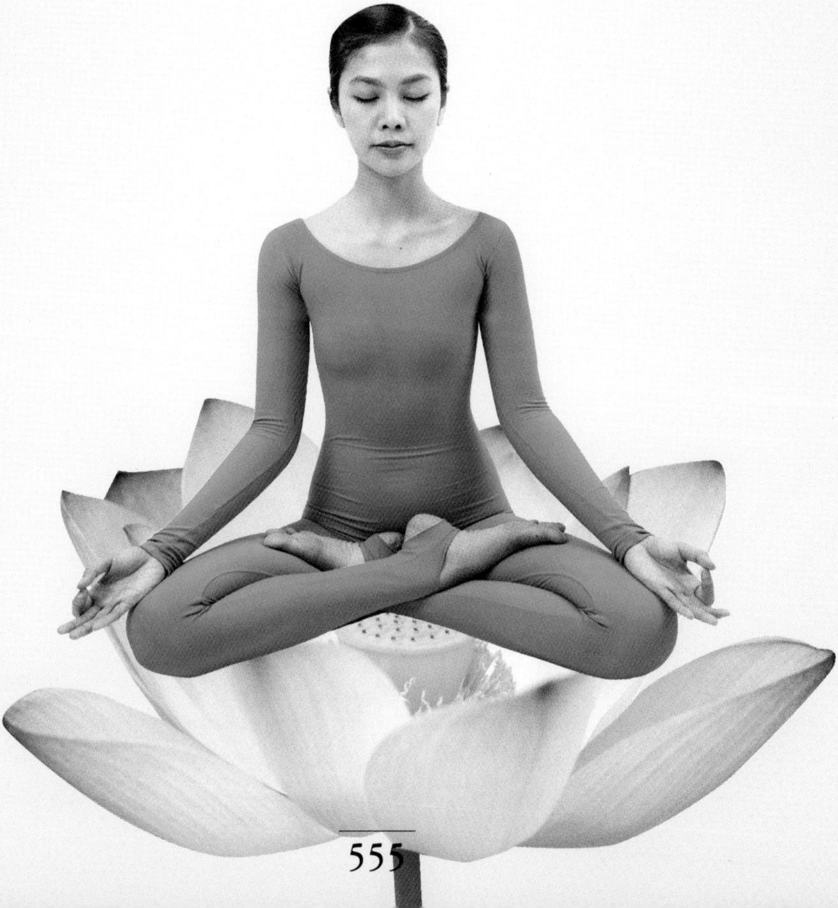

Baddha Padmasana
Bound Lotus Pose(Front View)
바드하 파드마아사나
묶인 연꽃 자세(앞모습)

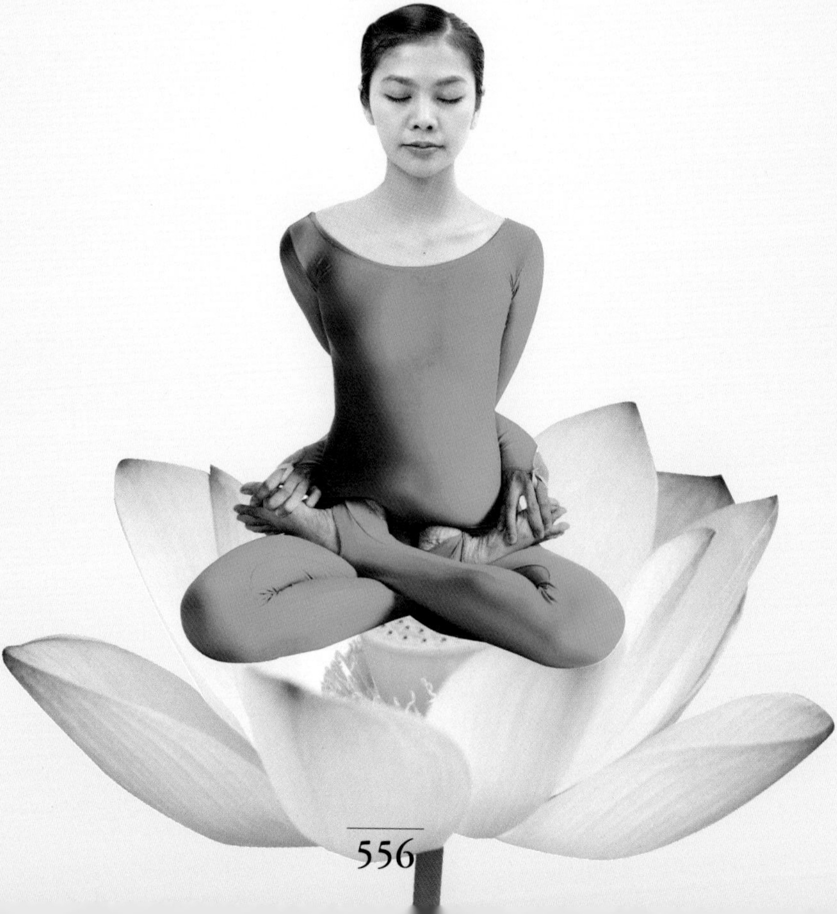

Yogasana
Yoga Pose
요가아사나
요가 자세

Asana No. 549

Yoga Mudra
Yogic Seal(Preparation)
요가 무드라
요가 봉인(준비)

Yoga Mudra
Yogic Seal
요가 무드라
요가 봉인

무드라 자세

손은 뒤로 엇갈리게 오른손은 왼발을 잡고, 왼손은 오른발을 잡는다.

턱은 바닥에 닿도록 허리를 구부린다. 폐 확장, 어깨의 근력은 강화, 소화력증진, 변비 해소, 대장에 연동운동을 강화, 장내 숙변을 완전 청소, 쿤다리니 (Kundalini)의 각성에 필수적인 자세이다.

Asana No. 551

Yoga Mudra
Yogic Seal(Variation)
요가 무드라
요가 봉인(변형)

Mulabandhasana
Root Lock Pose(Preparation)
물라반다아사나
괄약근 수축 자세(준비)

괄약근 수축자세

무라다라 차크라(Muladhara Chakra)을 깨우고 ,전립선, 생식선의 기능을 강화하는 수행이다. 또한 과도한 성적 욕구를 통제하며 에너지를 비축하는데 에 효과가 있다. 그러므로 정신을 통제하며 안정시킨다.

의식은 감각 기관의 지배자이며, 의식의 지배자는 푸라나 (Prana)이다. 푸라나를 소멸시키는 것은 라야 (Laya)이다. 라야 는 나다(Nada)즉 내적 소리 에 의존한다. 의식이 움직이지 않으면 푸라나가 움직이지 않고 정액도 움직이지 않는다. 과도한 성적 욕구를 가진 사람들에게 큰 도움이 된다. 성적 욕구를 통제 하였을 때 에너지가 승화 되어 인생에 대한 진정한 즐거움이 무한대로 확장된다.

Mulabandhasana
Root Lock Pose
물라반다아사나
괄약근 수축 자세

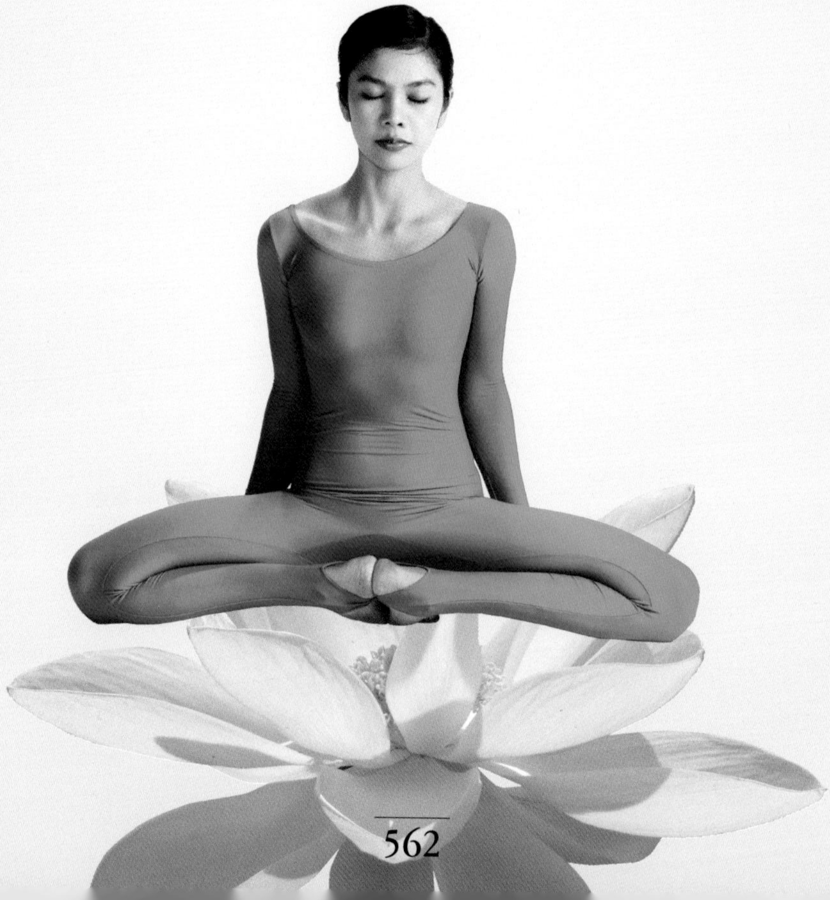

Baddha Konasana
Bound Angle Pose(Variation)
바드하 코나아사나
묶인 각 자세 (변형)

Asana No. 555

Gomukhasana
Cowface Pose(Front View)
고무카아사나
소 얼굴 자세(앞모습)

Gomukhasana
Cowface Pose(Rear View)
고무카아사나
소 얼굴 자세(뒷모습)

Leg Cradle
다리 안기

Squatting
웅크리기

Breathing & Cleansing Practices

호흡법과 정화연습

Nadi Vibrator Pranayama(Side View)
나디 바이브레이터 프라나야마(옆모습)

Asana No.560

Nadi Vibrator Pranayama(Front View)
나디 바이브레이터 프라나야마(앞모습)

Jalandhara Bandha
Chin Lock
잘란다라 반다
인후부 수축

Resting Poses

수면 자세

Asana No. 562

Garbhasana
Child' s Pose
가르바아사나
태아 자세

Asana No. 563

Supta Madhyasana
Reclining Waist Pose(Preparation)
숩타 마디야아사나
허리 회전 자세(준비)

Canha Yoga

Trancendence Yoga
Sunlight Asana

초월요가
햇빛 속에 아사나

Trancendence Yoga Sunlight Asana 초월요가 햇빛 속에 아사나

햇빛을 통해 혈중 비타민 D 수치가 증가할 때 유방암 발병위험이 50% 감소하고 대장암 발병위험은 65%가 감소한다.

오늘날 병원환자의 60%와 요양원 환자 80%가 비타민 D 결핍이다. 질병을 억제하는 햇빛의 혜택을 받으려면 밖으로 나가 하루에 20분 이상 햇볕을 쬐어야 하고 일주일에 세 시간 이상 햇빛 속에 아사나를 해야한다.

햇빛에서 얻어지는 비타민 D의 결핍은 몸의 칼슘 흡수를 심각하게 저해한다.

충분한 양의 비타민 D가 몸에 축적되면 전립선암, 유방암, 난소암, 대장암, 우울증, 그리고 정신분열증을 예방할 수 있다. 골다공증은 주로 비타민 D 결핍에 의해 발생하며 구루병은 비타민 D 결핍에 의해 뼈의 변형과 장애가 일어난다.

아사나와 일광욕은 모두 심장에서 뿜어내는 혈액의 양으로 측정되는 심장의 능률을 증가시킨다. 한 시간의 햇볕 속에 아사나는 심장의 능률을 39% 증가시키며 그 효과는 5, 6일간 지속된다. 고로 요가인은 가능한 한 햇볕 속에 아사나를 권장한다.

Asana No. 564

Trancendence Yoga
Sunlight Asana
초월요가
햇빛 속에 아사나

Asana No. 565

Trancendence Yoga
Sunlight Asana
초월요가
햇빛 속에 아사나

Asana No.566

Trancendence Yoga
Sunlight Asana
초월요가
햇빛 속에 아사나

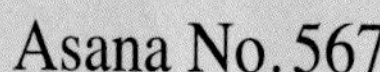

Asana No. 567

Trancendence Yoga
Sunlight Asana
초월요가
햇빛 속에 아사나

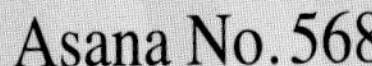

Asana No. 568

Trancendence Yoga
Sunlight Asana
초월요가
햇빛 속에 아사나

Asana No.569

Trancendence Yoga
Sunlight Asana
초월요가
햇빛 속에 아사나

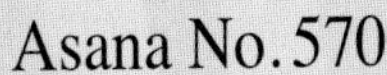

Asana No. 570

Trancendence Yoga
Sunlight Asana
초월요가
햇빛 속에 아사나

Asana No. 571

Trancendence Yoga
Sunlight Asana
초월요가
햇빛 속에 아사나

Asana No. 572

Trancendence Yoga
Sunlight Asana
초월요가
햇빛 속에 아사나

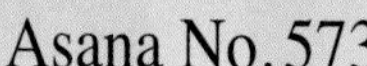

Asana No. 573

Trancendence Yoga
Sunlight Asana
초월요가
햇빛 속에 아사나

Asana No. 574

Trancendence Yoga
Sunlight Asana
초월요가
햇빛 속에 아사나

Asana No. 575

Trancendence Yoga
Sunlight Asana
초월요가
햇빛 속에 아사나

Asana No.576

Trancendence Yoga
Sunlight Asana
초월요가
햇빛 속에 아사나

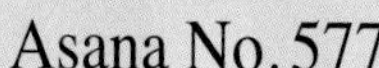

Asana No. 577

Trancendence Yoga
Sunlight Asana
초월요가
햇빛 속에 아사나

Asana No. 578

Trancendence Yoga
Sunlight Asana
초월요가
햇빛 속에 아사나

Asana No. 579

Trancendence Yoga
Sunlight Asana
초월요가
햇빛 속에 아사나

Asana No. 580

Trancendence Yoga
Sunlight Asana
초월요가
햇빛 속에 아사나

Asana No. 581

Trancendence Yoga
Sunlight Asana
초월요가
햇빛 속에 아사나

Trancendence Yoga
Sunlight Asana
초월요가
햇빛 속에 아사나

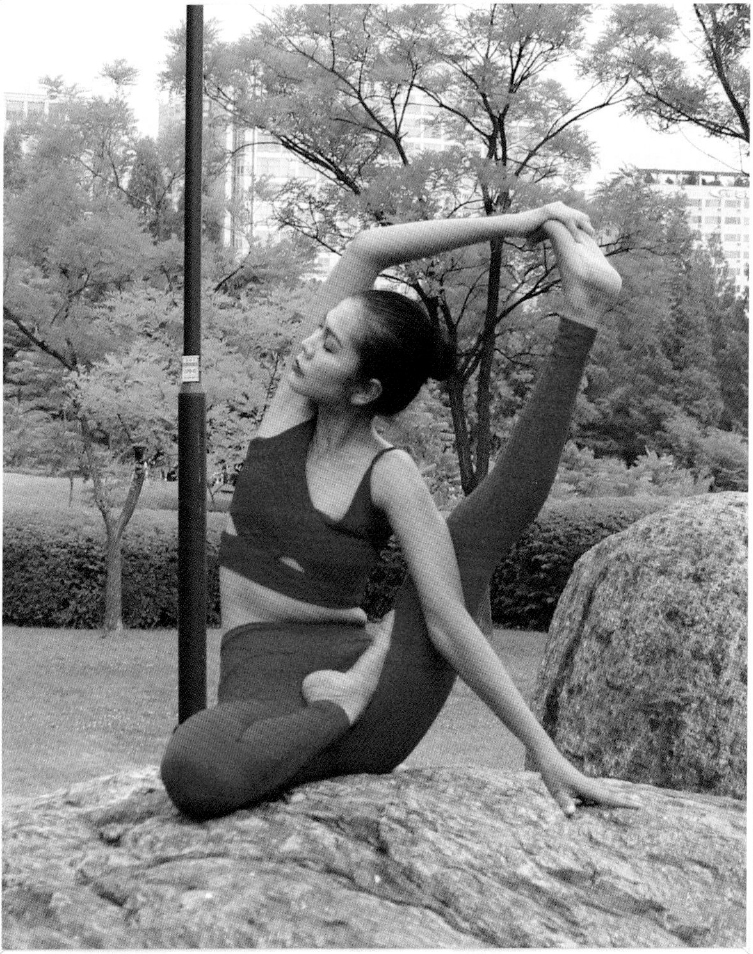

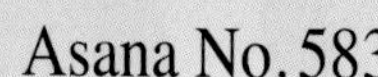

Asana No. 583

Trancendence Yoga
Sunlight Asana
초월요가
햇빛 속에 아사나

Asana No. 584

Trancendence Yoga
Sunlight Asana
초월요가
햇빛 속에 아사나

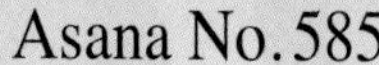

Asana No. 585

Trancendence Yoga
Sunlight Asana
초월요가
햇빛 속에 아사나

Asana No. 586

Trancendence Yoga
Sunlight Asana
초월요가
햇빛 속에 아사나

Asana No. 587

Trancendence Yoga
Sunlight Asana
초월요가
햇빛 속에 아사나

Asana No. 588

Trancendence Yoga
Sunlight Asana
초월요가
햇빛 속에 아사나

Asana No. 589

Trancendence Yoga
Sunlight Asana
초월요가
햇빛 속에 아사나

Asana No. 590

Trancendence Yoga
Sunlight Asana
초월요가
햇빛 속에 아사나

Asana No. 591

Trancendence Yoga
Sunlight Asana
초월요가
햇빛 속에 아사나

Asana No. 592

Trancendence Yoga
Sunlight Asana
초월요가
햇빛 속에 아사나

Asana No. 593

Trancendence Yoga
Sunlight Asana
초월요가
햇빛 속에 아사나

Asana No. 594

Trancendence Yoga
Sunlight Asana
초월요가
햇빛 속에 아사나

Asana No. 595

Trancendence Yoga
Sunlight Asana
초월요가
햇빛 속에 아사나

Asana No.596

Trancendence Yoga
Sunlight Asana
초월요가
햇빛 속에 아사나

Asana No. 597

Trancendence Yoga
Sunlight Asana
초월요가
햇빛 속에 아사나

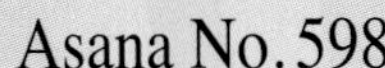

Asana No. 598

Trancendence Yoga
Sunlight Asana
초월요가
햇빛 속에 아사나

Asana No.599

Trancendence Yoga
Sunlight Asana
초월요가
햇빛 속에 아사나

Asana No. 600

Trancendence Yoga
Sunlight Asana
초월요가
햇빛 속에 아사나

Nirvana
희망의 언덕

저자가 가난한 농부로 태어남은 기회이자 축복입니다. 나는 늘 그것을 하늘에 감사하고 있습니다.

우리 집 전 재산이 수탉 한 마리와 암탉 세 마리뿐이었습니다. 초가집 한 칸이라도 우리 것이 있었다면 그 초가집에 나를 의지하여 내 자신의 무지개 꿈을 가질 수 없었을 것입니다.

아버님은 어마어마한 유산보다 값진 "정직과 부지런함"을 가르쳐주셨습니다. 나는 티 하나 없는 하얀 백지에 내 인생의 그림을 그려 나갔습니다.

저자의 보물 1호로 가장 소중히 다루는 것은 시간입니다.

세상 모든 것은 돈으로 살 수 있지만 시간은 돈으로 바꿀 수 없습니다. 초등학교 4학년부터 하루 다섯 시간, 야간

중 · 고등학교 시절에는 내가 벌어서 공부를 해야 했기로 네 시간, 그 후 35년은 세 시간을 자면서 일을 해야 했습니다.

지금까지 13,700권의 책을 읽고 173개국 1,600,000Km를 비행기로 날아 지구를 39바퀴 돌았습니다.

4년 동안 3,700점의 그림을 그렸고, 300수의 시(詩)를 썼습니다.

청소부, 대장간 풀무쟁이, 공사판 노동자에서 30, 40대는 사업가로, 50대는 명상여행가로, 60대는 화가, 시인, 교수, Yoga Guru로, 이것이 저자의 인생 변천사입니다.

많은 곳을 여행한 이유는 내가 태어나 살아온 이 행성을 구석구석 가보고 싶은 호기심 때문이고, 이 지구에 다시 오지 못할 경우를 생각해서입니다.

세상에서 시간보다 더 소중한 자산은 없습니다. 단 1분이라도 시간을 낭비해서는 아니 됩니다.

저자가 책을 쓰는 목적은 청소년들에게 희망을 심어 주기 위한 것입니다.

청소년들이여! 웅대한 꿈을 가슴에 품고 다른 사람이 가지 않은 길을 가십시오. 명확한 목표가 정해지면 길이 보입니다. 그때 열정과 용기로 행동합니다. 그리고 '나는 할 수 있다' 고 철저하게 자신을 믿어야 합니다. 꿈을 이루려면 간절한 소망을 마음속 깊이 심고 자신의 성공한 모습을 늘 상상해야 합니다. 그리고 자신은 꼭 성공한다고 믿어야 합니다.

불가능이란 마음이 만들어낸 괴물이며 약자(弱者)의 넋두리입니다. 마음속에서 불가능이란 괴물을 강철 같은 의지로 지금 바로 몰아내십시오.

남과 경쟁해서 승자가 되기보다 자신과의 싸움에서 승자가 되어야 합니다. 그리고 자신의 목표가 세상의 정의에 합당해야 합니다. 오늘보다 더 좋은 내일의 세상을 위해 자신이 어떻게 헌신할까 늘 마음속에 간직해야 합니다.

우리가 세상에 태어날 수 있는 확률은 1조분의 1입니다. 우리 각자는 선택 받은 소중한 존재들입니다. 생명은 신비이자 기적입니다. 오늘이 마지막 날이라 생각하고 행동하면 목표에 이르는 시간이 단축됩니다.

긍정적 사고로 바라보면 세상에 불가능이란 없습니다. 희망의 눈으로 넓고 멀리 바라보십시오.

저자에게는 인류대학을 졸업해야만 성공한다는 공식은 당초에 없었습니다. 가장 열악한 환경과 불리한 조건을 극복하고 얻을 수 있는 성취의 길이 세상에는 수없이 많습니다.

저자의 영광과 명예는 세상이 나에게 주었기로, 인류의 건강과 행복을 위해 Yoga Guru가 되었습니다.

Canha Yoga

Andaleus

Canha Yoga

초판인쇄/2021년 6월 1일
초판발행/2021년 6월 5일
지은이/이원영
발행인/김영대
발행처/대경북스

ISBN/978-89-5676-853-3
정가 75,000원

Yoga Model - Huy Canha
https://blog.naver.com/andaleus
E-mail andaleus@naver.com

등록번호 제 1-1003호
서울시 강동구 천중로42길 45 2F
전화: (02)485-1988, 485-2586~87
팩스: (02)485-1488
e-mail: dkbooks@chol.com
http://www.dkbooks.co.kr